1001
Brilliant Ways
to Checkmate

PRIONOV P6

BY
FRED REINFELD

Published by
Melvin Powers
WILSHIRE BOOK COMPANY
12015 Sherman Road
No. Hollywood, California 91605
Telephone: (213) 875-1711 / 983-1105

OTHER BOOKS BY FRED REINFELD

FIRST BOOK OF CHESS: (with co-author)

SECOND BOOK OF CHESS: The Nine Bad Moves

THIRD BOOK OF CHESS: How to Play the White Pieces

FOURTH BOOK OF CHESS: How to Play the Black Pieces

FIFTH BOOK OF CHESS: How to Win When You're Ahead

SIXTH BOOK OF CHESS: How to Fight Back

1001 BRILLIANT CHESS SACRIFICES AND COMBINATIONS

TREASURES OF THE EARTH

TREASURY OF THE WORLD'S COINS

COIN COLLECTOR'S HANDBOOK

COINOMETRY: An Instructive Historical Introduction to Coins and Currency
(with co-author)

BLAZER THE BEAR: The Story of Forest Fires (with co-author)

as well as many other books on chess and various subjects

ISBN 0-87980-110-7

Library of Congress Catalog Card No.: 55-10375

© Copyright, 1955
by Sterling Publishing Co., Inc.
New York 16, N. Y.

Printed by

HAL LEIGHTON PRINTING COMPANY
P.O. Box 3952
North Hollywood, California 91605
Telephone: (213) 983-1105

CHESS NOTATION

As indicated in the following diagram, all the squares on the chessboard are *numbered* from both sides of the board; White's KR1, for example, is Black's KR8. Each square is also *named* for the piece occupying the file. Below the diagram is a list of the chief abbreviations used in chess notation.

BLACK

QR8	QN8	QB8	Q8	K8	KB8	KN8	KR8
QR7	QN7	QB7	Q7	K7	KB7	KN7	KR7
QR6	QN6	QB6	Q6	K6	KB6	KN6	KR6
QR5	QN5	QB5	Q5	K5	KB5	KN5	KR5
QR4	QN4	QB4	Q4	K4	KB4	KN4	KR4
QR3	QN3	QB3	Q3	K3	KB3	KN3	KR3
QR2	QN2	QB2	Q2	K2	KB2	KN2	KR2
QR1	QN1	QB1	Q1	K1	KB1	KN1	KR1

WHITE

King — K	check — ch	
Queen — Q	discovered check — dis ch	
Rook — R	double check — dbl ch	
Bishop — B	en passant — e.p.	
Knight — N	good move — !	
Pawn — P	very good move — ! !	
captures — x	outstanding move — ! ! !	
to — —	bad move — ?	

Table of Contents

I. Queen Sacrifices

To lose your Queen is one of the worst catastrophes that can happen in a game of chess. But to sacrifice the Queen in a brilliant combination—that's something else again.

And yet, in sacrificing the Queen, you're playing for high stakes. You need a goal that's worthy of such a sacrifice, or if you please, such an investment. As far as this chapter is concerned, nothing less than checkmate will serve as the goal.

But how can we tell when the position is ripe for such a sacrifice? There are telltale indications, and you will see them repeatedly as you study these positions. These indications are just as clear to the practiced observer as slight marks and prints were to the Indian stalking his enemy in the trackless forest.

For example: in Diagram 1 White is able to sacrifice his Queen successfully because Black is weak on his back rank. And the same kind of weakness turns up in Diagrams 4, 14, 16, and many other instances.

Consider, also, the exposed position of Black's King in Diagrams 6, 7, 8, 13. No wonder Black's King comes to a violent end in these positions! No wonder a brilliant Queen sacrifice is possible in each case.

And so it goes. Time and again you will find very similar patterns leading to very similar refutations. When you have reached the point where a set-up in one diagram reminds you irresistibly of a similar pattern in an earlier diagram, you will have made progress. For that will mean that the pattern is firmly fixed in your mind, and that you can apply it with devastating effect in your own games.

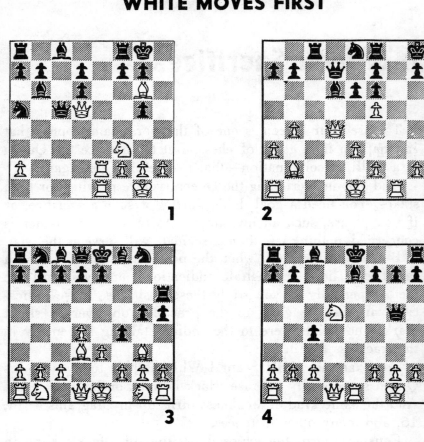

6 · QUEEN SACRIFICES ·

WHITE MOVES FIRST

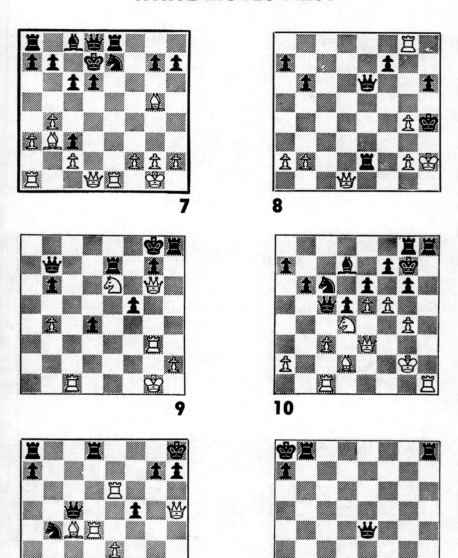

13

14

15

16

17

18

8 · QUEEN SACRIFICES ·

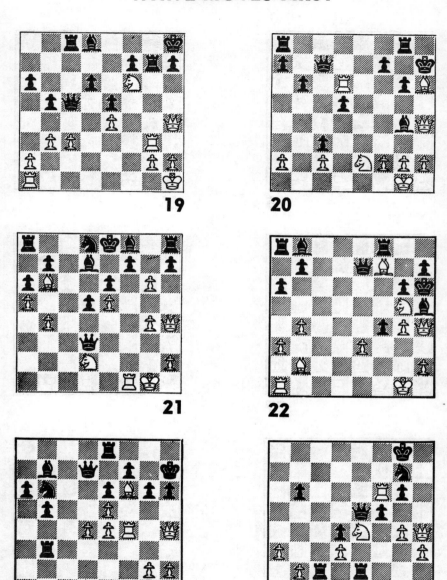

WHITE MOVES FIRST

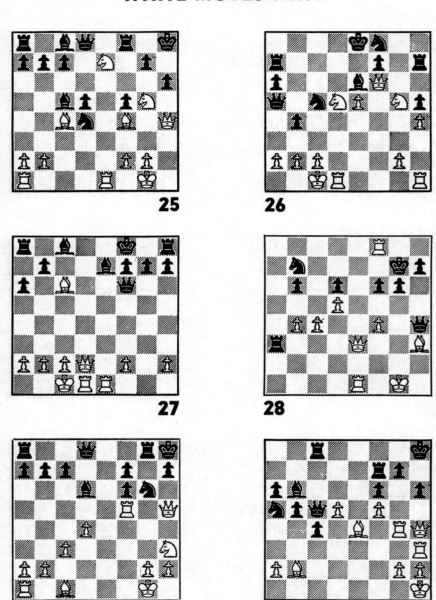

25   26

27   28

29   30

WHITE MOVES FIRST

31

32

33

34

35

36

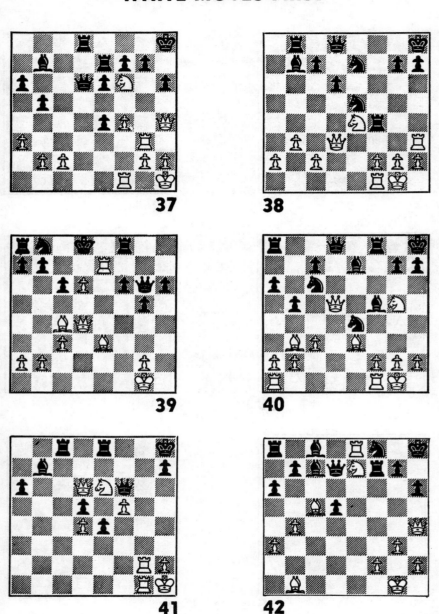

37

38

39

40

41

42

43

44

45

46

47

48

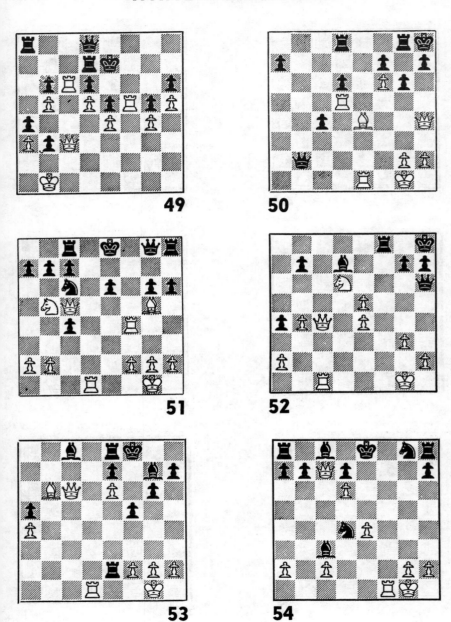

49

50

51

52

53

54

WHITE MOVES FIRST

55

56

57

58

59

60

WHITE MOVES FIRST

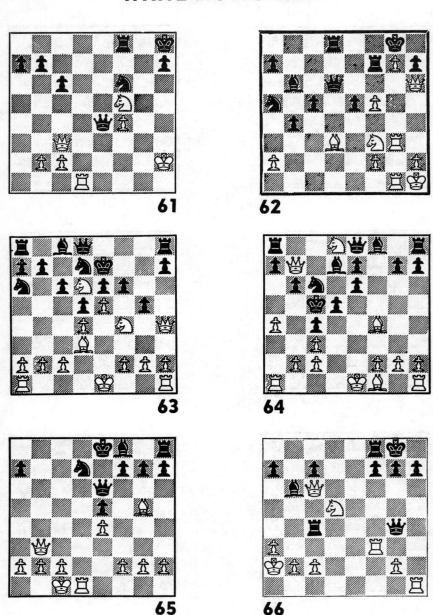

61

62

63

64

65

66

16 · QUEEN SACRIFICES ·

67

68

69

70

71

72

WHITE MOVES FIRST

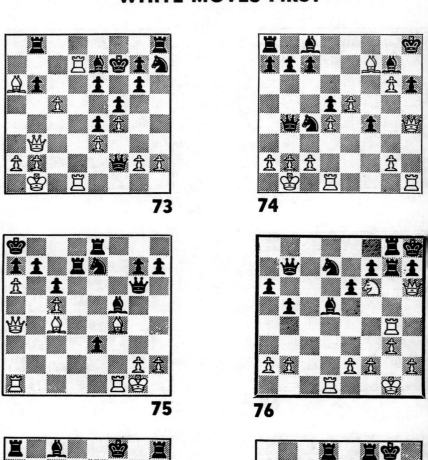

73

74

75

76

77

78

18 · QUEEN SACRIFICES ·

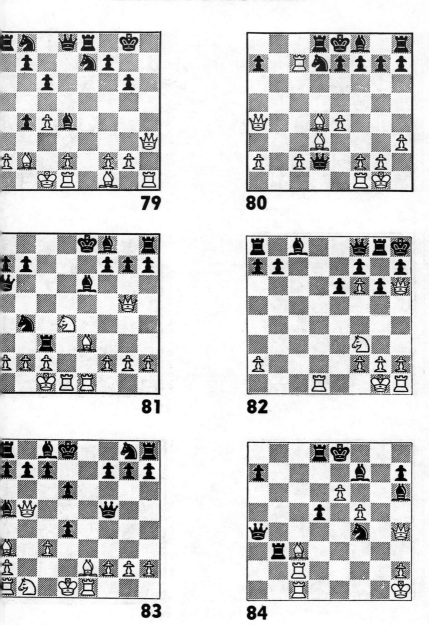

79

80

81

82

83

84

WHITE MOVES FIRST

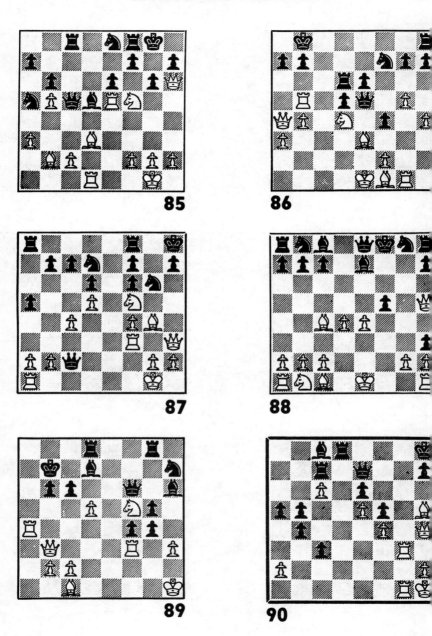

85

86

87

88

89

90

20 · QUEEN SACRIFICES ·

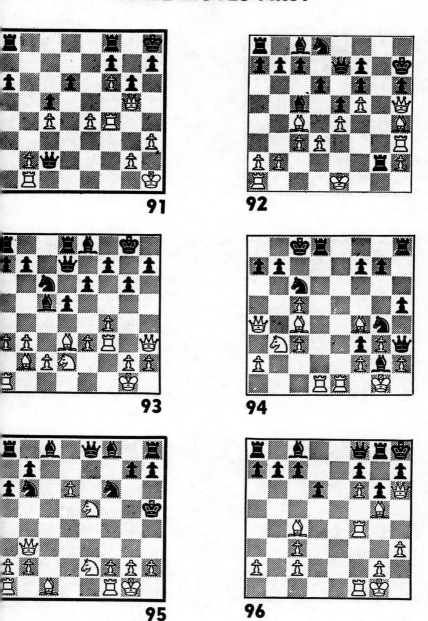

91

92

93

94

95

96

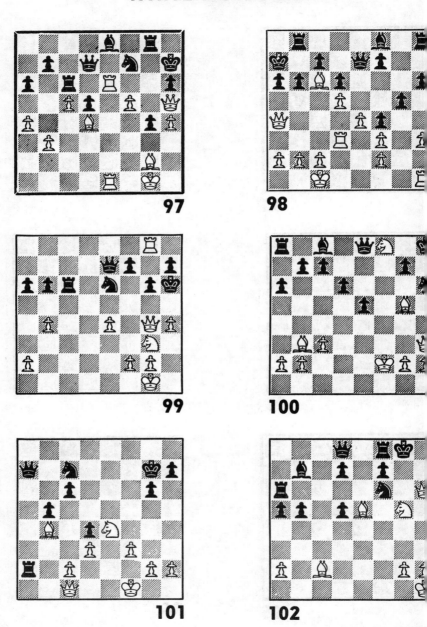

97

98

99

100

101

102

22 · QUEEN SACRIFICES ·

WHITE MOVES FIRST

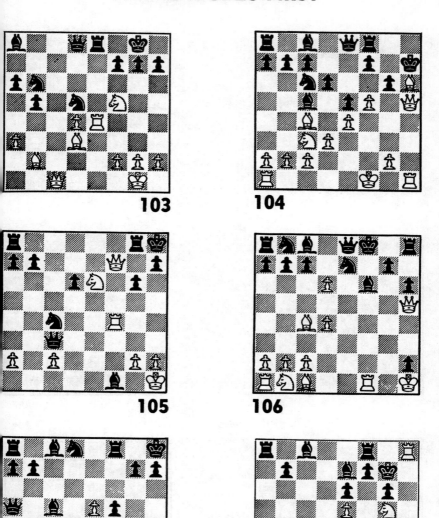

103

104

105

106

107

108

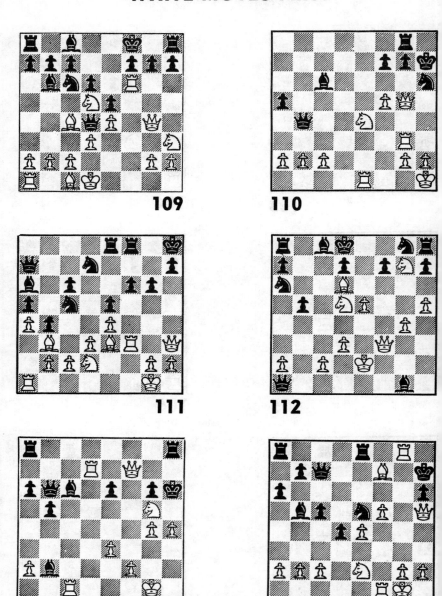

109

110

111

112

113

114

24 · QUEEN SACRIFICES ·

WHITE MOVES FIRST

115

116

117

118

119

120

WHITE MOVES FIRST

121

122

123

124

125

126

WHITE MOVES FIRST

127

128

129

130

131

132

133

134

135

136

137

138

WHITE MOVES FIRST

139

140

141

142

143

144

WHITE MOVES FIRST

145

146

147

148

149

150

151

152

153

154

155

156

157

158

159

160

161

162

WHITE MOVES FIRST

163

164

165

166

167

168

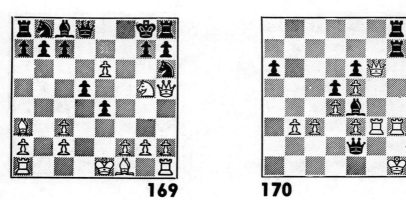

169

170

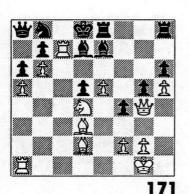

171

172

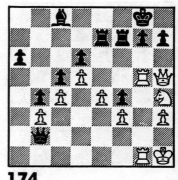

173

174

34 · QUEEN SACRIFICES ·

WHITE MOVES FIRST

175

176

177

178

179

180

WHITE MOVES FIRST

181

182

183

184

185

186

36 · QUEEN SACRIFICES ·

WHITE MOVES FIRST

187

188

189

190

191

192

WHITE MOVES FIRST

193

194

195

196

197

198

BLACK MOVES FIRST

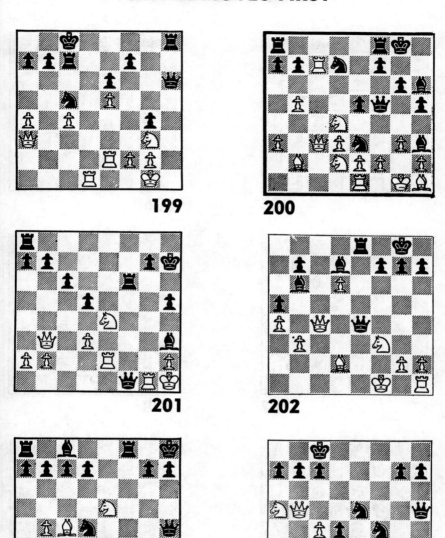

199

200

201

202

203

204

BLACK MOVES FIRST

205

206

207

208

209

210

BLACK MOVES FIRST

211

212

213

214

215

216

BLACK MOVES FIRST

217

218

219

220

221

222

BLACK MOVES FIRST

223

224

225

226

227

228

BLACK MOVES FIRST

229

230

231

232

233

234

BLACK MOVES FIRST

235

236

237

238

239

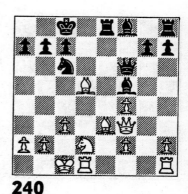

240

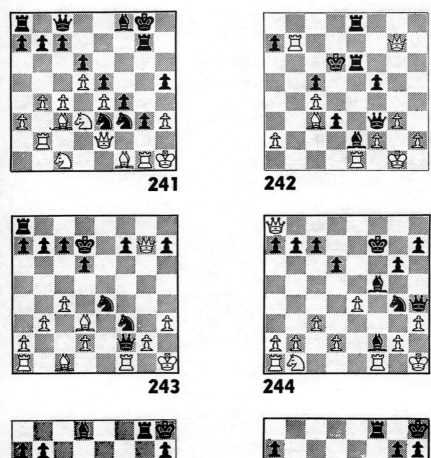

241

242

243

244

245

246

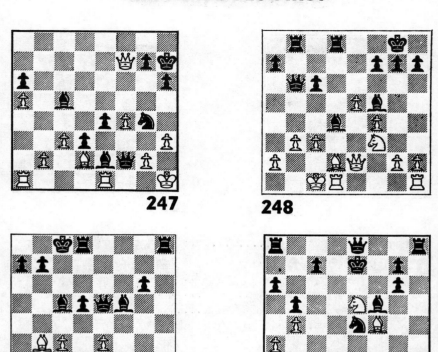

247

248

249

250

251

252

253

254

255

256

257

258

BLACK MOVES FIRST

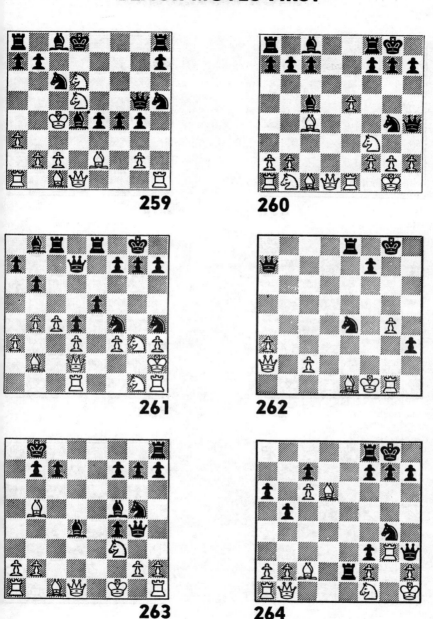

259

260

261

262

263

264

BLACK MOVES FIRST

265

266

267

268

269

270

BLACK MOVES FIRST

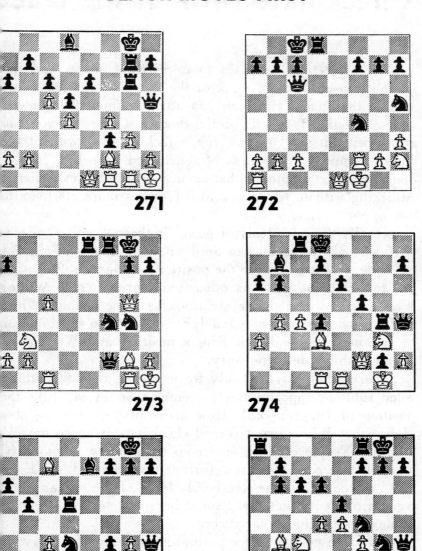

271

272

273

274

275

276

2. Checkmate without the Quee

Most of us are reluctant to exchange Queens, and not without reason. For we think of the Queen as the heart and soul of the attack. How can you attack without the Queen?

The question is a little on the rhetorical side, for you *can* attack without the Queen. True, attacking play without the Queen requires a lightness of touch and a feeling for co-operation of the pieces that comes only with experience. Attacking without the Queen also requires more alertness to our opportunities.

Actually there is plenty of power in these "weaker" pieces —if we only remember to apply it. How many of us, for example, might pass over the position of Diagram 282 without realizing the glorious opportunity presented to White? Who would dream that a sly Rook sacrifice enables White to force checkmate immediately? And yet the combination of the unfortunate Black King's position and White's superior mobility tells the story.

Superior mobility! If only we exploited it to the utmost when sublime opportunities presented themselves! Take the position of Diagram 281. How many players can see at a glance that White has a forced checkmate in three moves? Yet White's pieces have enormous superiority in mobility, and Black's King seems unfortunately hemmed in. From these slender hints, the irresistible force of the human brain weaves a mating net that cannot be surpassed by the most glamorous of Queen sacrifices.

And so, in position after position, we see the chessplayer's imagination at work, constructing phenomenally effective patterns with the simplest of materials. That is perhaps the most valuable lesson you can learn from this section—how to operate with startling economy of means.

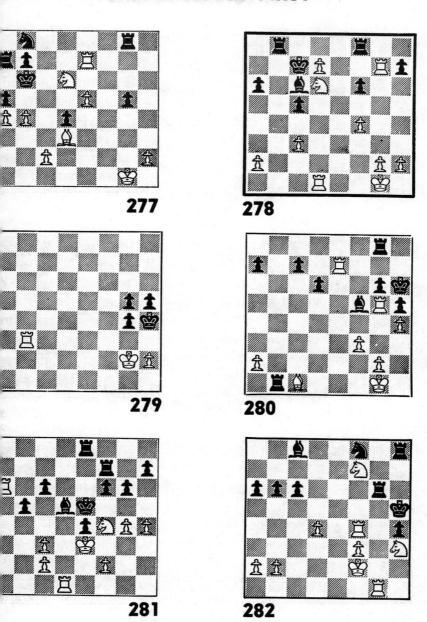

277

278

279

280

281

282

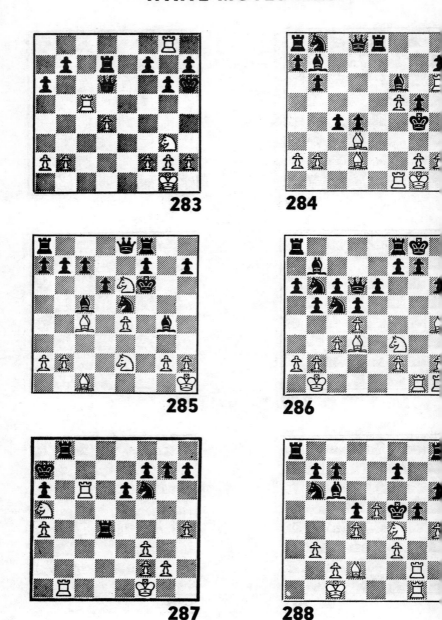

283

284

285

286

287

288

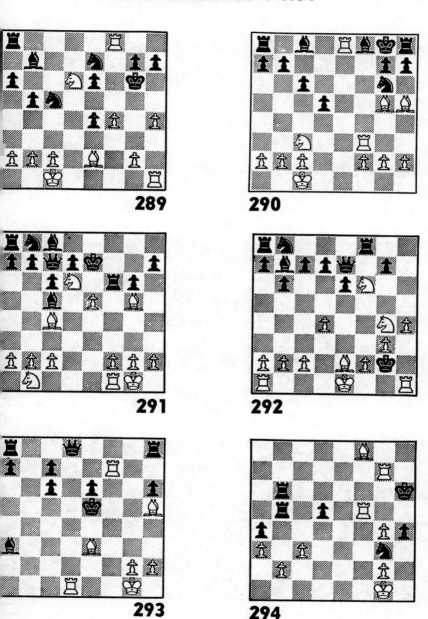

289

290

291

292

293

294

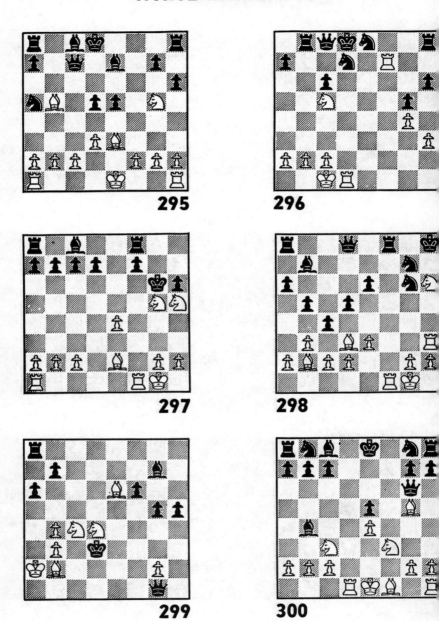

295

296

297

298

299

300

301

302

303

304

305

306

WHITE MOVES FIRST

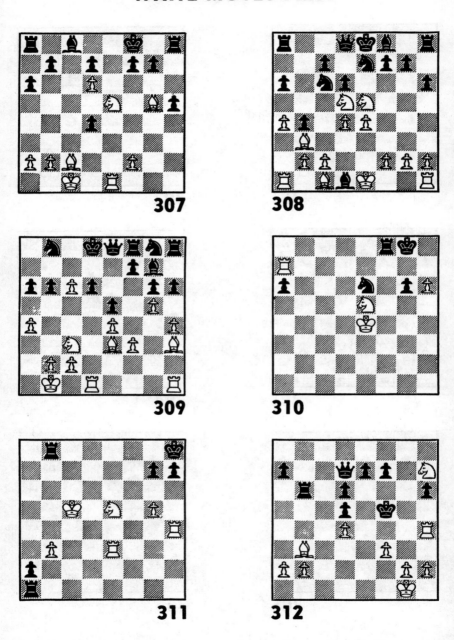

307

308

309

310

311

312

WHITE MOVES FIRST

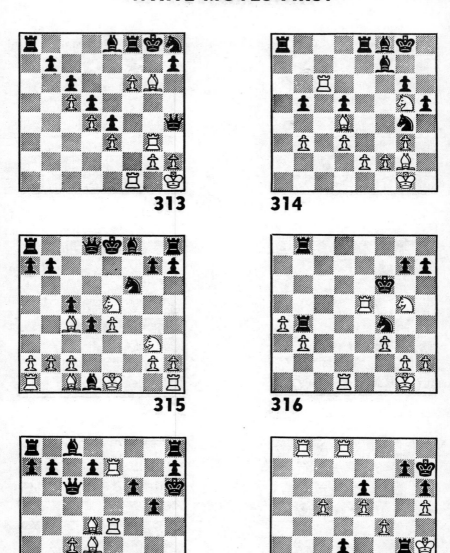

313

314

315

316

317

318

· **CHECKMATE** without the **QUEEN** · 59

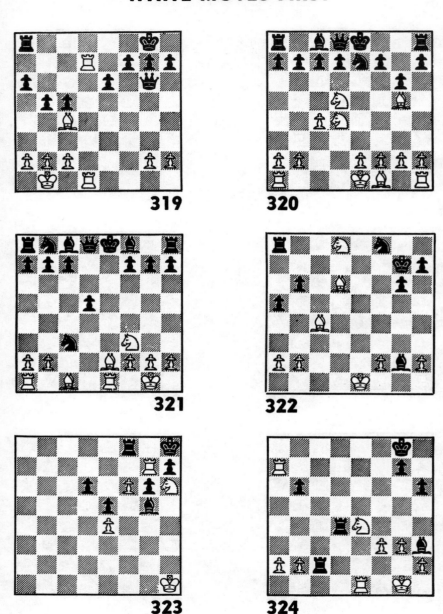

319

320

321

322

323

324

WHITE MOVES FIRST

325

326

327

328

329

330

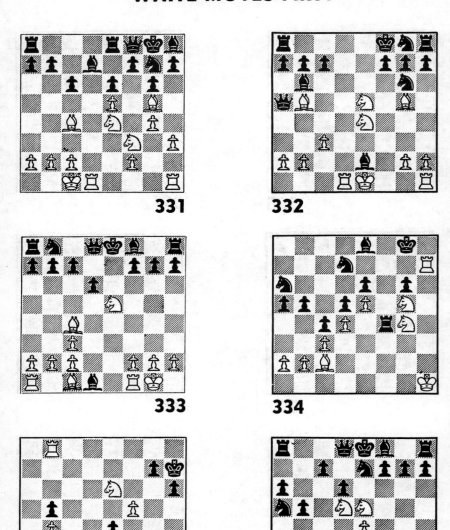

331

332

333

334

335

336

337

338

339

340

341

342

343

344

345

346

347

348

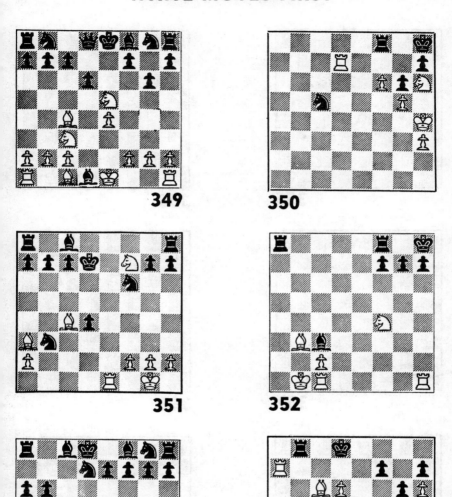

349

350

351

352

353

354

WHITE MOVES FIRST

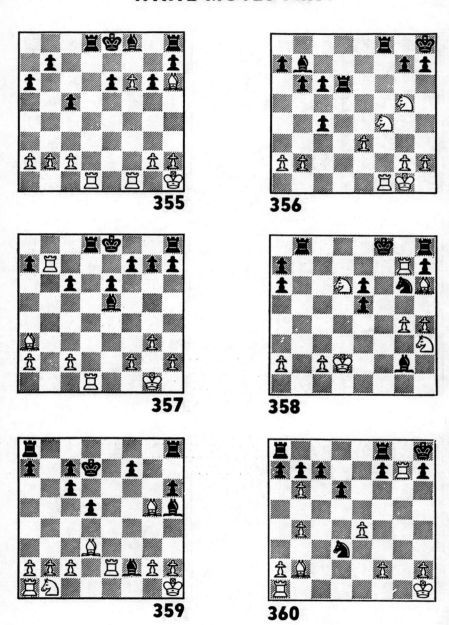

355

356

357

358

359

360

WHITE MOVES FIRST

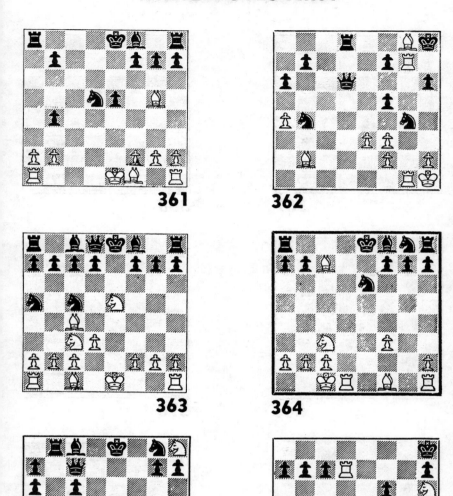

361

362

363

364

365

366

BLACK MOVES FIRST

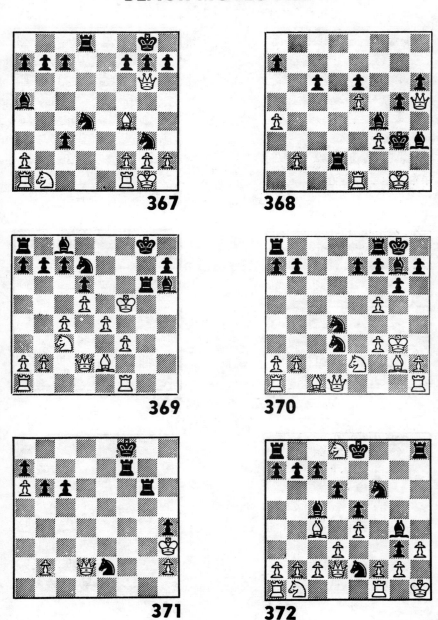

367

368

369

370

371

372

BLACK MOVES FIRST

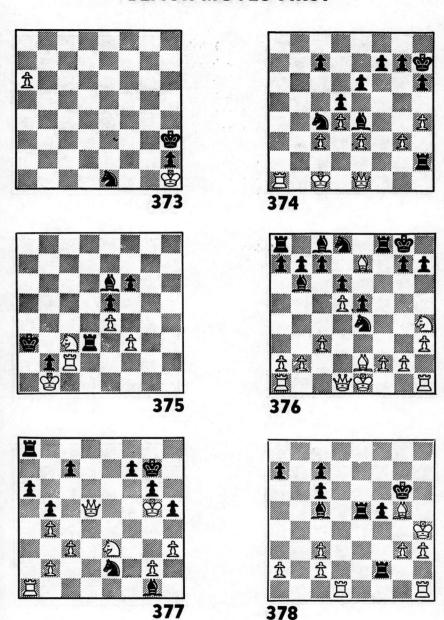

373

374

375

376

377

378

BLACK MOVES FIRST

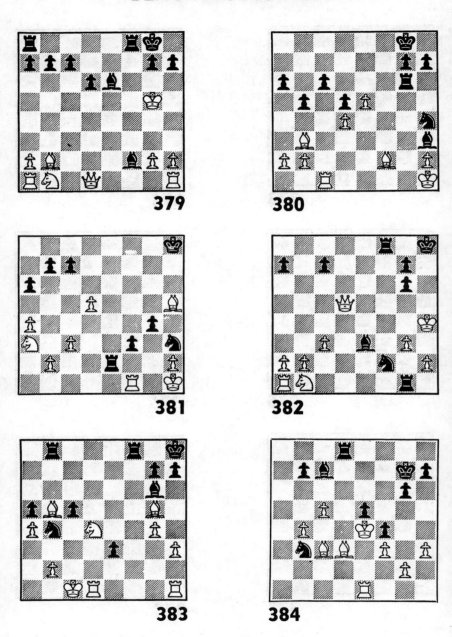

379

380

381

382

383

384

BLACK MOVES FIRST

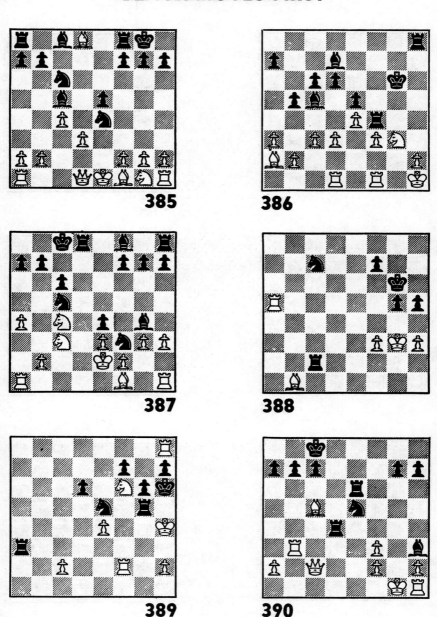

385

386

387

388

389

390

BLACK MOVES FIRST

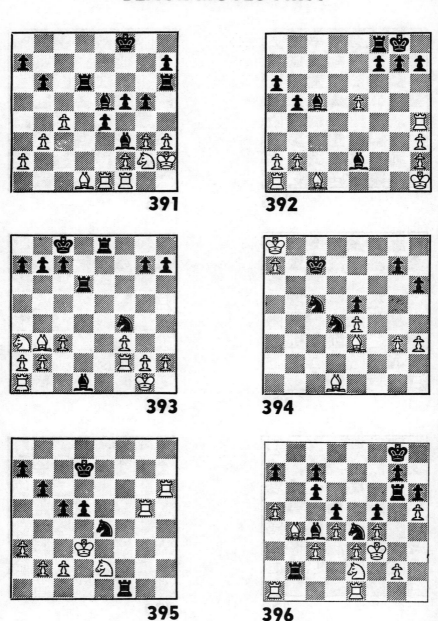

391

392

393

394

395

396

BLACK MOVES FIRST

397

399

401

398

400

402

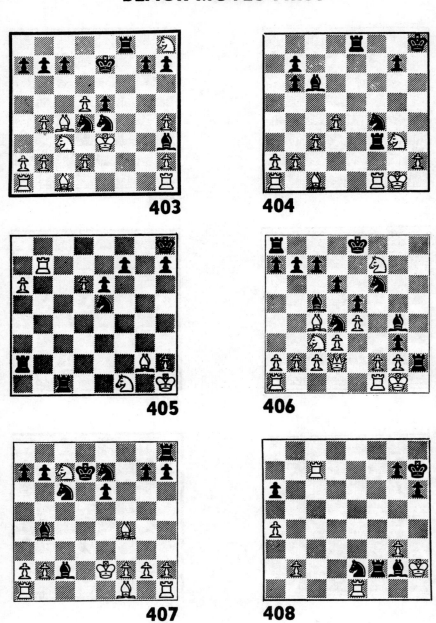

403

404

405

406

407

408

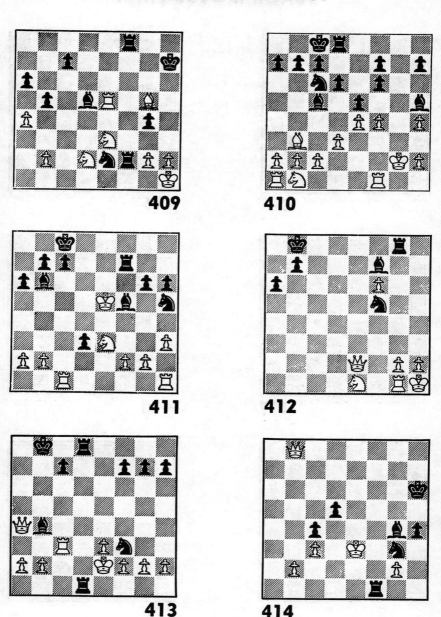

409

410

411

412

413

414

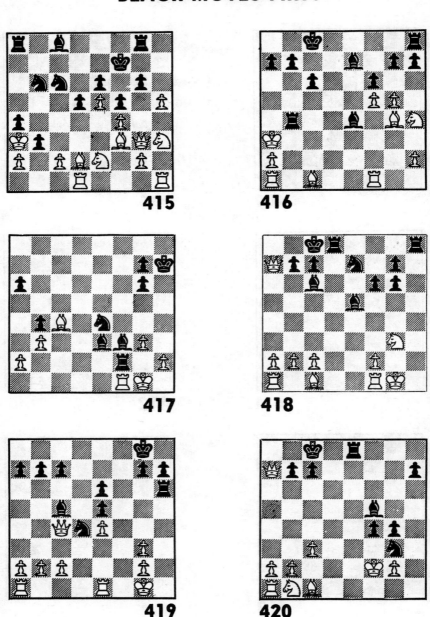

415

416

417

418

419

420

BLACK MOVES FIRST

421

422

423

424

425

426

3. Storming the Castled Position

While it is true that the King is much safer after castling than he is in his original position, it is important to remember that castling does not automatically insure the King's safety. This word of caution is amply justified by the many brilliant examples in this section.

To put it very cold-bloodedly, the castled position is a logical objective for hostile attacks. It is fashionable to speak of the castled position as a "bastion" and a "bulwark." But if any of the Pawns in the neighborhood of the King are advanced or exchanged, that fortress is immensely weakened. The infiltration of enemy pieces—sometimes uneventful, sometimes violent and startling—breaches the defenses that have grown flimsy.

Diagram 429 shows us such a situation. Black has weakened his castled position by advancing his King Knight Pawn and King Rook Pawn. White has three pieces trained on the enemy King-side, and he has an ominous Pawn wedge planted on King Bishop 6. "So what?" the uninitiated may ask. But the expert knows better. A striking Queen sacrifice, followed by an almost equally spectacular Rook sacrifice, brutally highlights the errors of Black's ways.

On the other hand, the set-up in Diagram 430 falls into a different category. Black has sacrificed two pieces, but he is just about to win a White Rook.

Does White have any counterattack? Black's King-side Pawn position is impeccable—not a Pawn moved from its original position. And yet disaster is about to strike, for White has a forced two-move mate! And why? Because Black's Queen has wandered too far afield, and can offer no assistance to the hard-pressed King. In following up his own attack, Black has missed the fact that three White pieces are eager to menace the Black King—in this case, successfully. And so Black's King, isolated from first aid, falls a victim to an over-ambitious policy.

Even more vulnerable is the castled position which has been weakened by Pawn moves *and* the absence of the defender's Queen. This is the situation in Diagram 576, where Black is consequently able to win by a neat Queen sacrifice.

These then, are the two chief clues to mating attacks that succeed in storming the hostile castled position: weakening Pawn moves, and absence of the defender's Queen. These clues will guide you to many an impressive victory.

WHITE MOVES FIRST

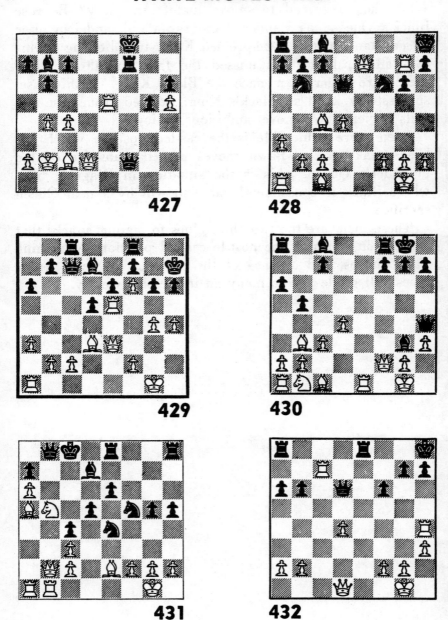

427

428

429

430

431

432

WHITE MOVES FIRST

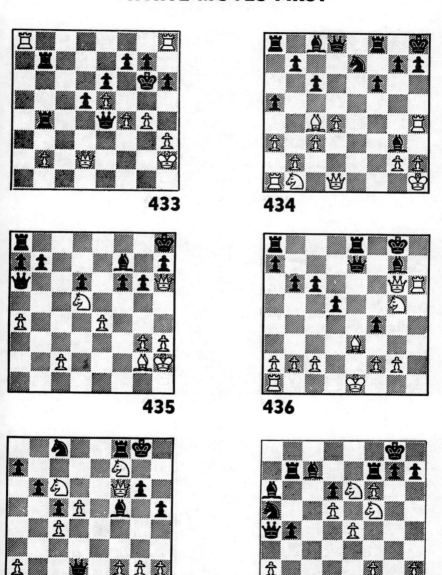

433

434

435

436

437

438

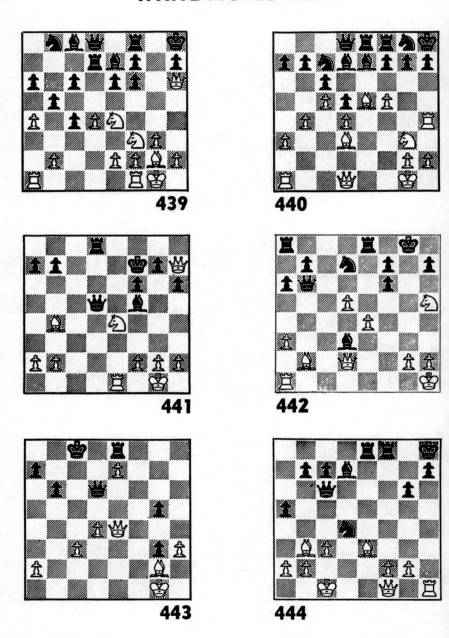

439

440

441

442

443

444

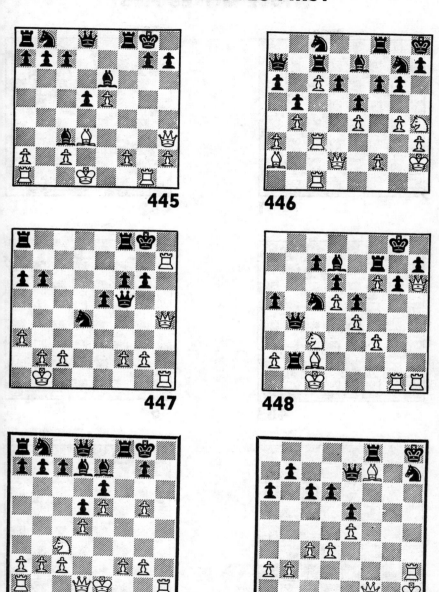

445

446

447

448

449

450

WHITE MOVES FIRST

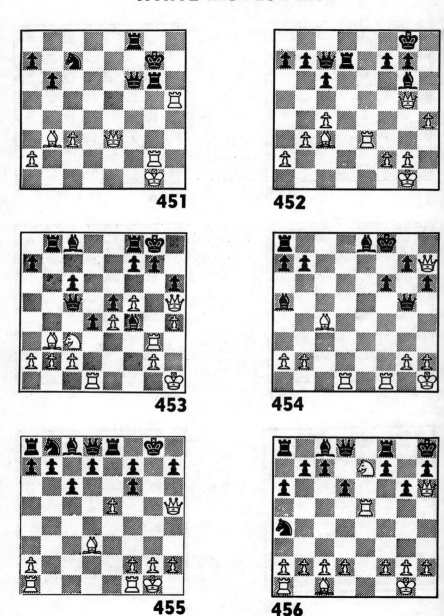

451

452

453

454

455

456

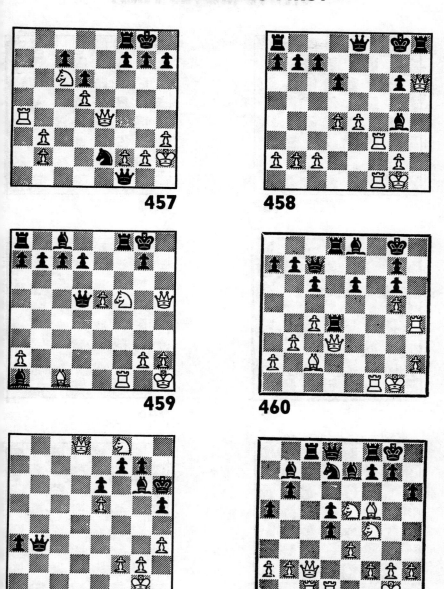

457

458

459

460

461

462

WHITE MOVES FIRST

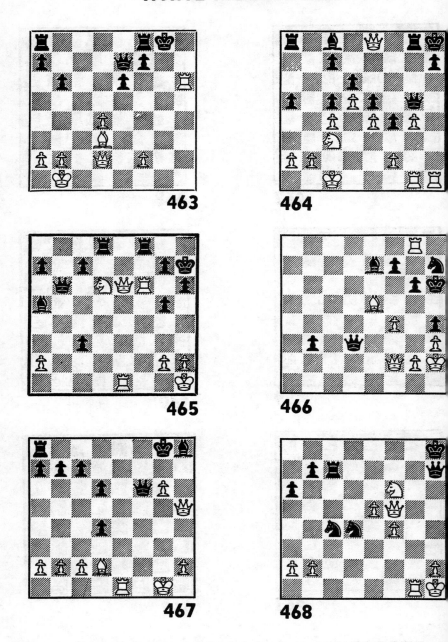

463

464

465

466

467

468

WHITE MOVES FIRST

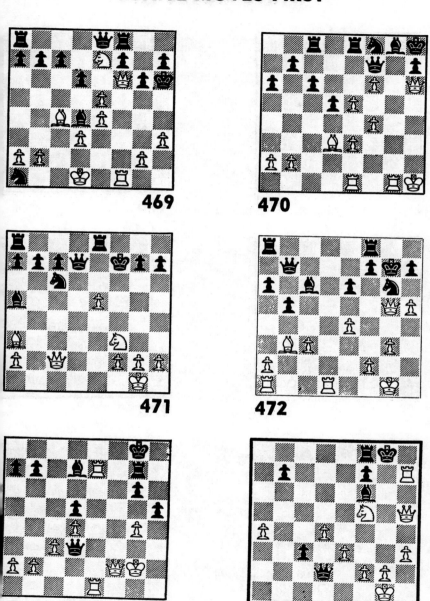

469

470

471

472

473

474

· STORMING the CASTLED POSITION · 87

WHITE MOVES FIRST

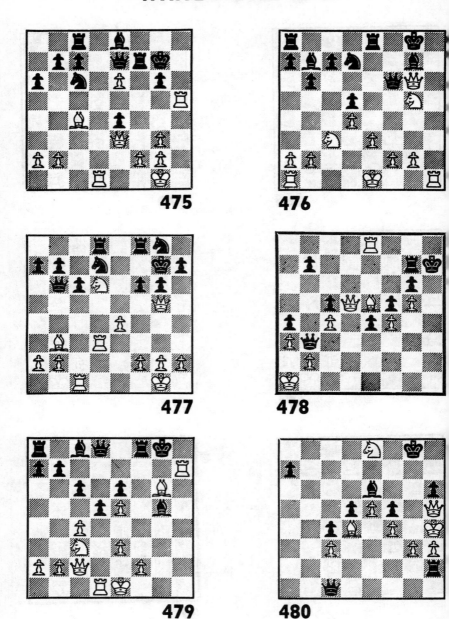

475

476

477

478

479

480

WHITE MOVES FIRST

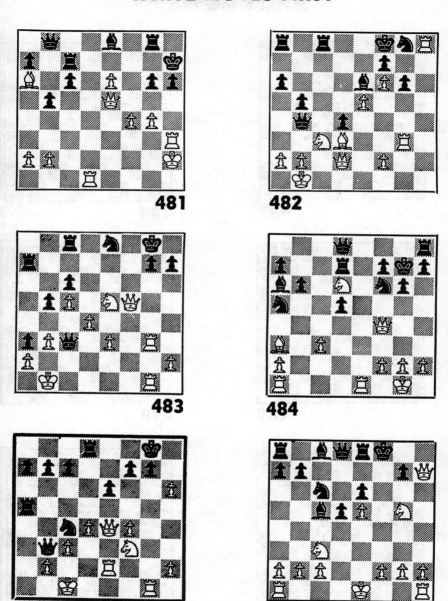

481

482

483

484

485

486

· STORMING the CASTLED POSITION · 89

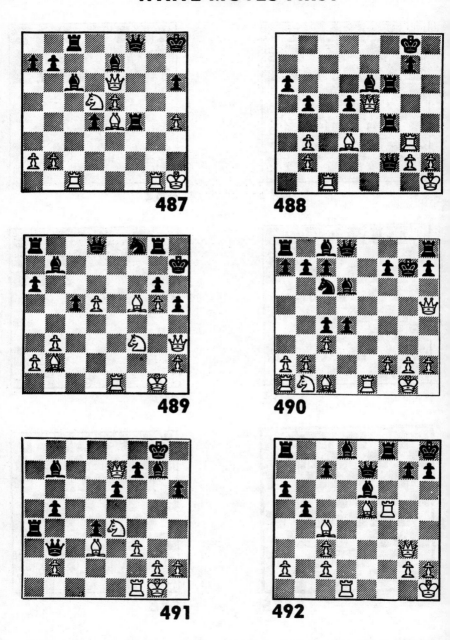

487

488

489

490

491

492

WHITE MOVES FIRST

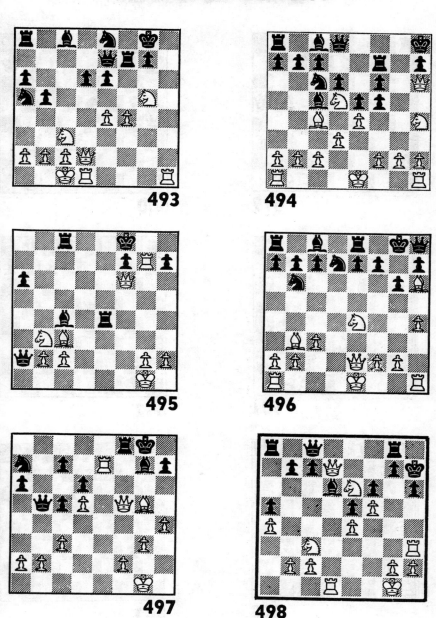

493

494

495

496

497

498

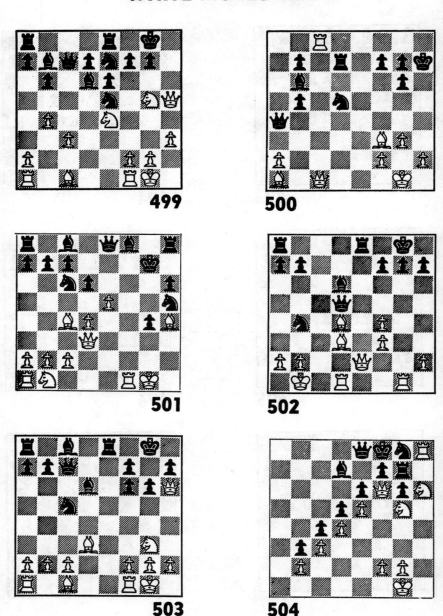

499

500

501

502

503

504

WHITE MOVES FIRST

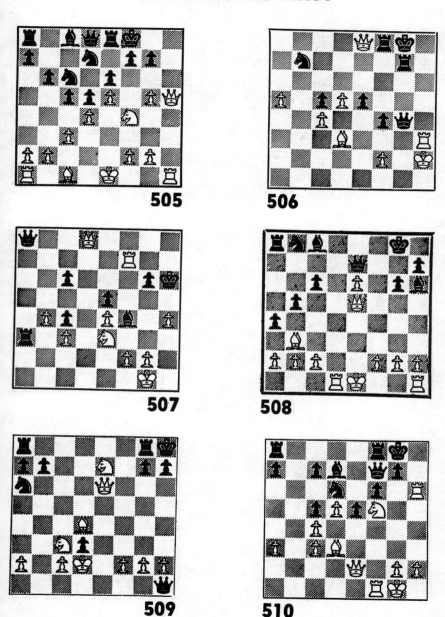

505

506

507

508

509

510

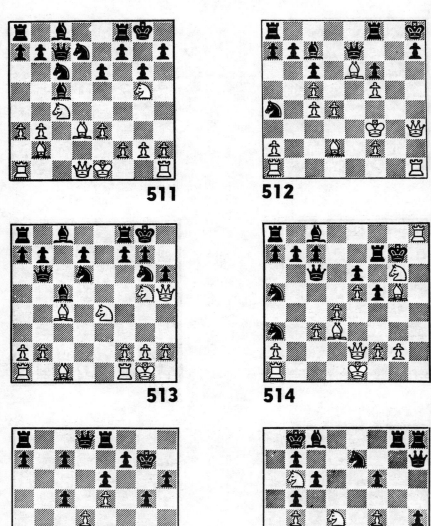

511

512

513

514

515

516

WHITE MOVES FIRST

517

518

519

520

521

522

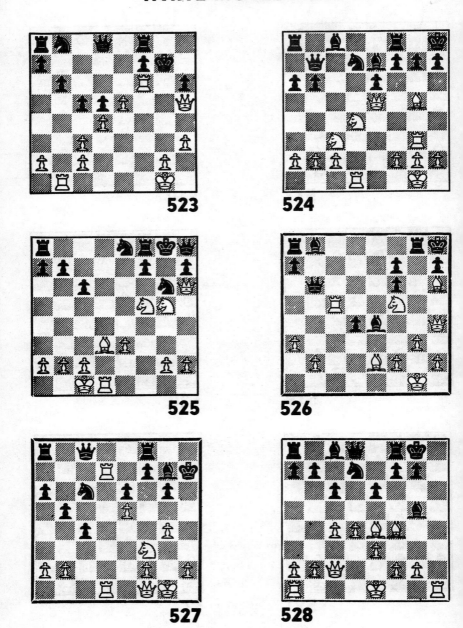

523

524

525

526

527

528

529

530

531

532

533

534

WHITE MOVES FIRST

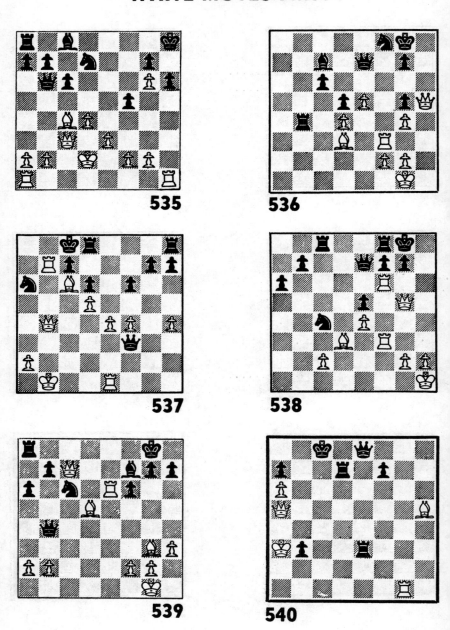

535

536

537

538

539

540

541

542

543

544

545

546

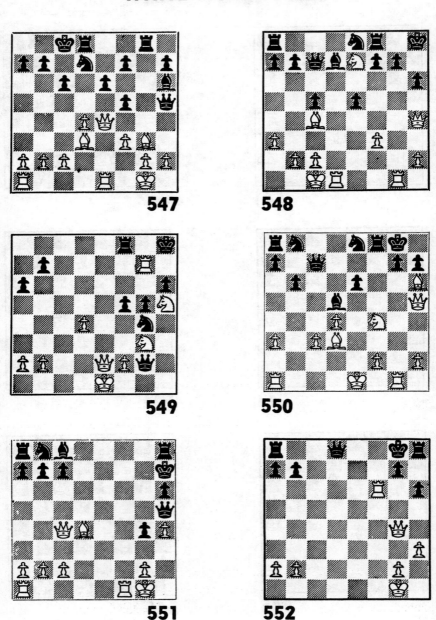

WHITE MOVES FIRST

547

548

549

550

551

552

100 · STORMING the CASTLED POSITION ·

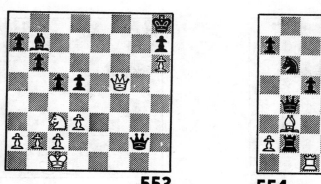

553

554

555

556

557

558

• **STORMING the CASTLED POSITION** • **101**

WHITE MOVES FIRST

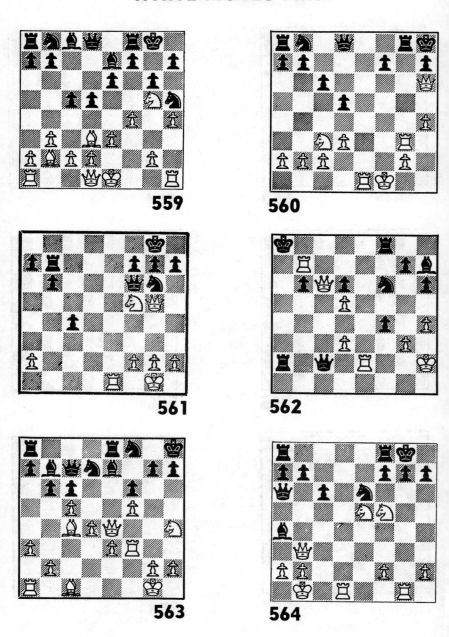

559

560

561

562

563

564

BLACK MOVES FIRST

565

566

567

568

569

570

BLACK MOVES FIRST

571

572

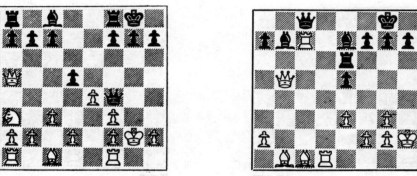

573

574

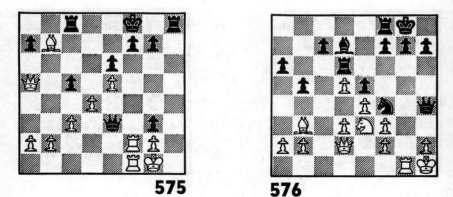

575

576

BLACK MOVES FIRST

577

578

579

580

581

582

BLACK MOVES FIRST

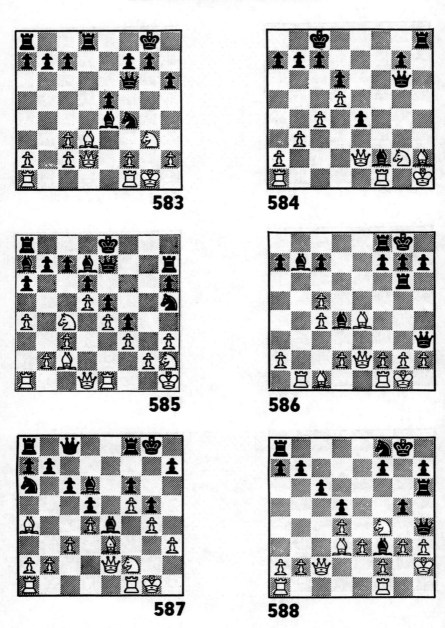

583

584

585

586

587

588

BLACK MOVES FIRST

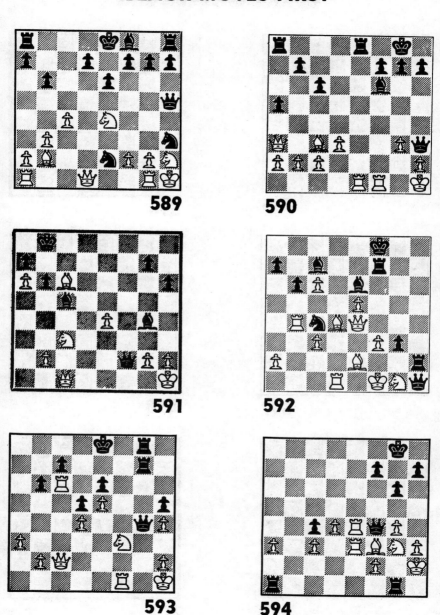

589

590

591

592

593

594

BLACK MOVES FIRST

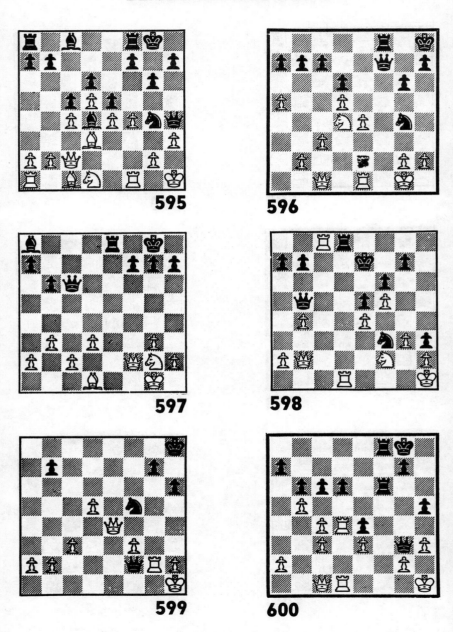

595

596

597

598

599

600

BLACK MOVES FIRST

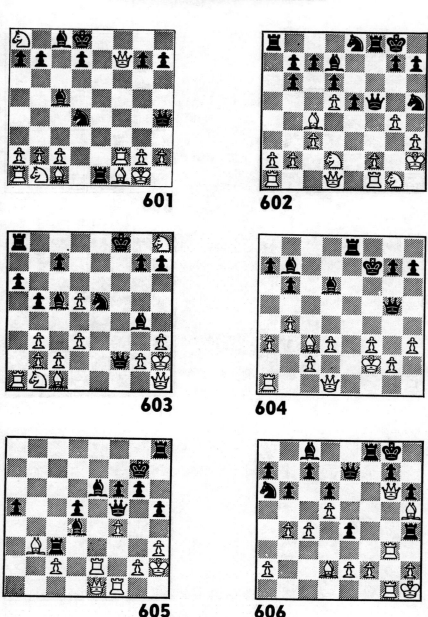

601

602

603

604

605

606

BLACK MOVES FIRST

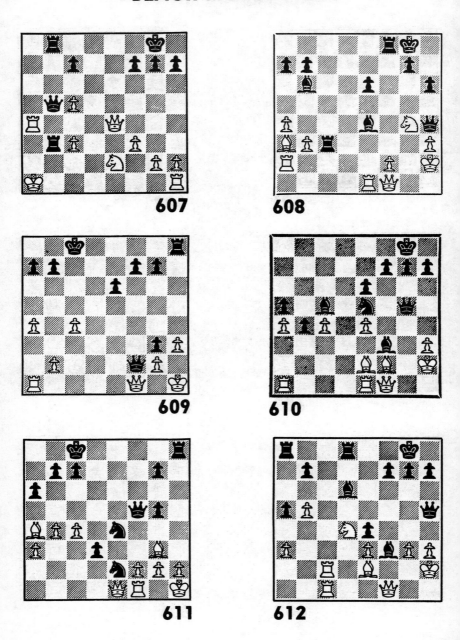

607

608

609

610

611

612

· STORMING the CASTLED POSITION ·

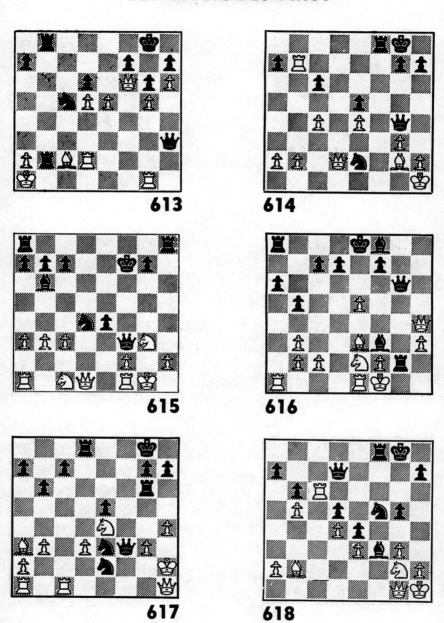

613

614

615

616

617

618

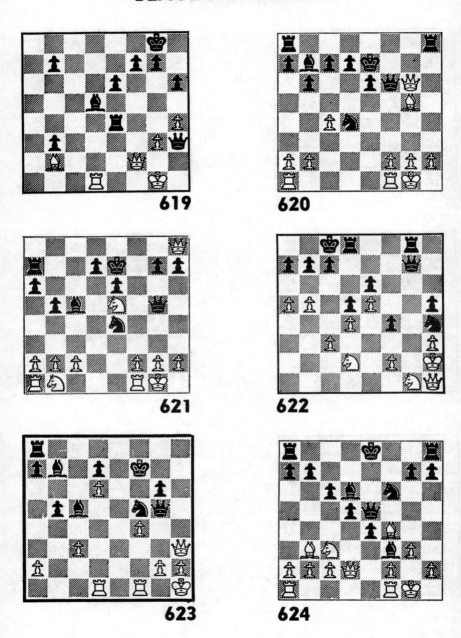

619

620

621

622

623

624

BLACK MOVES FIRST

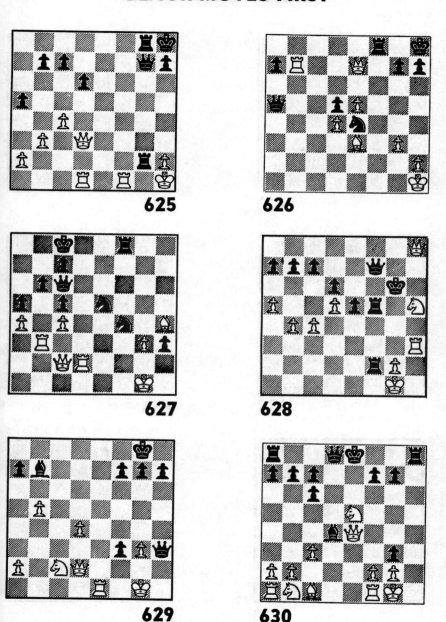

625

626

627

628

629

630

BLACK MOVES FIRST

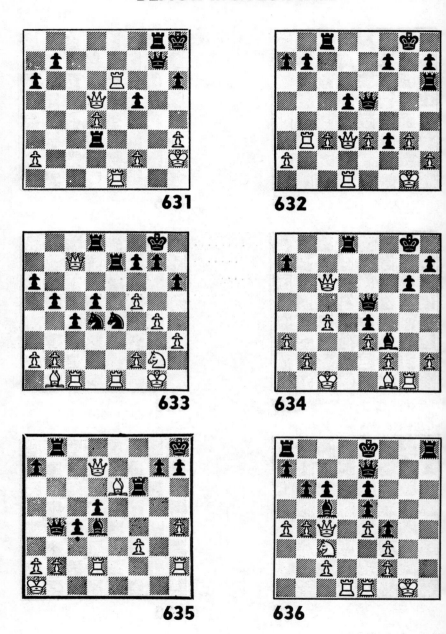

631

632

633

634

635

636

BLACK MOVES FIRST

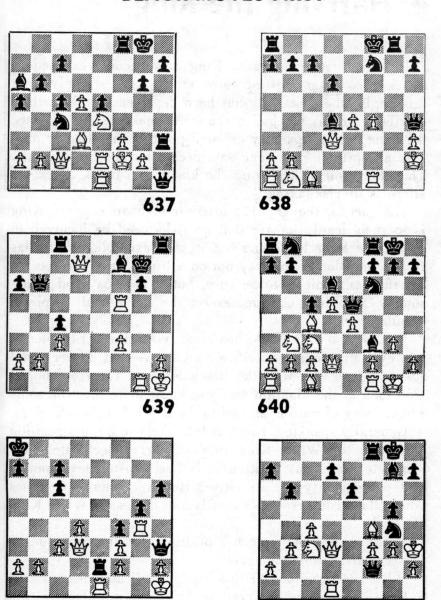

637

638

639

640

641

642

4. Harrying the King

If it is often true that a King may become exposed to attack even after castling, how much more strongly does this apply when the King has been deprived of the castling privilege, or has not had a chance to make use of it. Once the King is in a seriously exposed position the attacker may take all sorts of risks, and sacrifice material with abandon. The likelihood of achieving checkmate is a blank check for all sorts of risk-taking.

The fact is, though, that often enough an exposed King is in such deadly danger that no risks need be incurred to checkmate him. In Diagram 656, for example, White has forced the Black King way out on a limb. This required the sacrifice of a piece, to be sure, but it now pays off handsomely as White checkmates on the move with a pretty double check.

In Diagram 659 White has already sacrificed two pieces, and even proceeds to sacrifice his Queen—and all very well justified, you see, with the Black King so far from home. One look at the diagram and you know there must be some radical way of putting an end to the Black King's sufferings.

Generally speaking, Black is less likely to be in a position to hound the White King into an early checkmate. This stands to reason, as White usually has a faster development and consequently the initiative. However, there are times when Black counterattacks swiftly and drives the White King pitilessly.

Diagram 764 shows such a position, and the consequence is a fantastic two-Knight mate.

What the examples in this section indicate, then, is that a King deprived of the castling privilege, or otherwise unfortunately located on open lines, is a proper target for sacrificial attack.

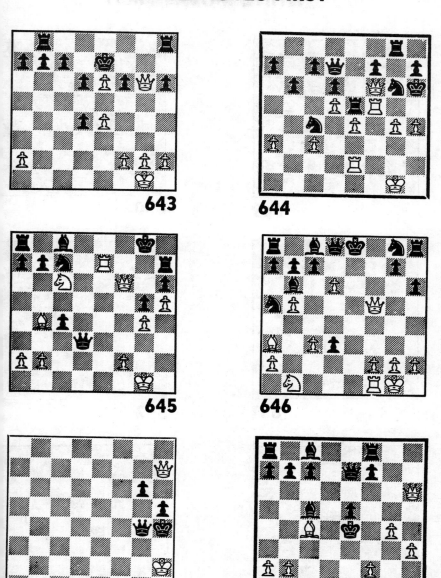

643

644

645

646

647

648

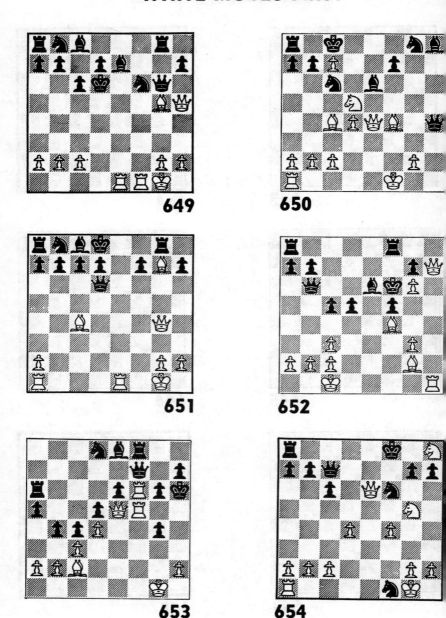

649

650

651

652

653

654

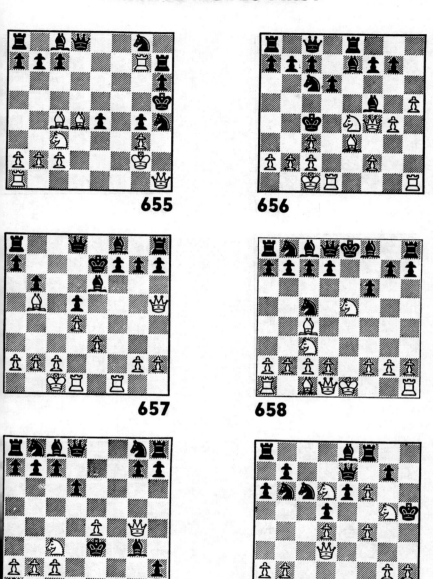

655 656

657 658

659 660

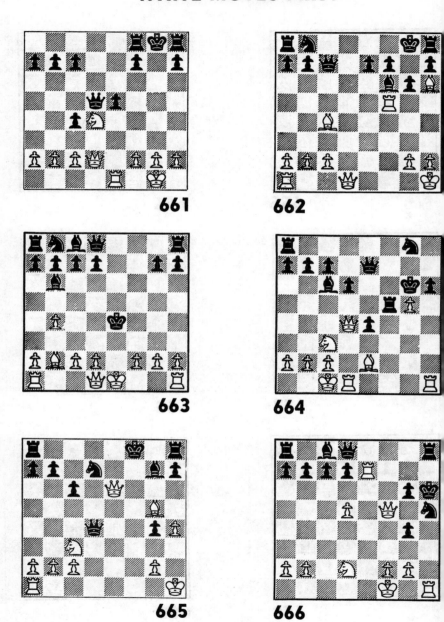

661

662

663

664

665

666

WHITE MOVES FIRST

667

668

669

670

671

672

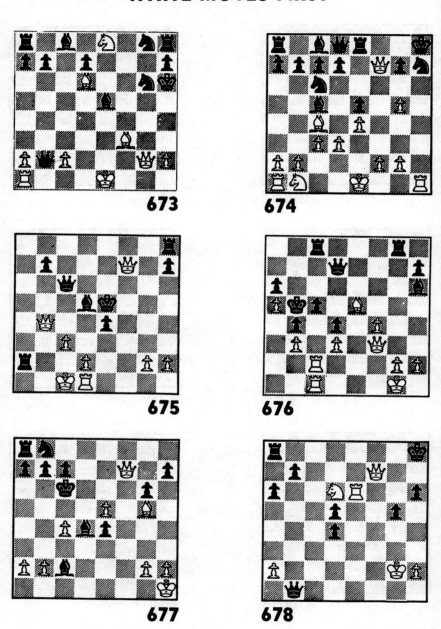

673

674

675

676

677

678

WHITE MOVES FIRST

679

680

681

682

683

684

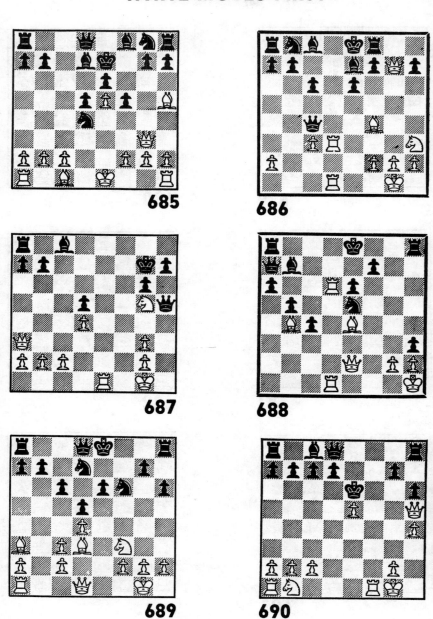

685

686

687

688

689

690

WHITE MOVES FIRST

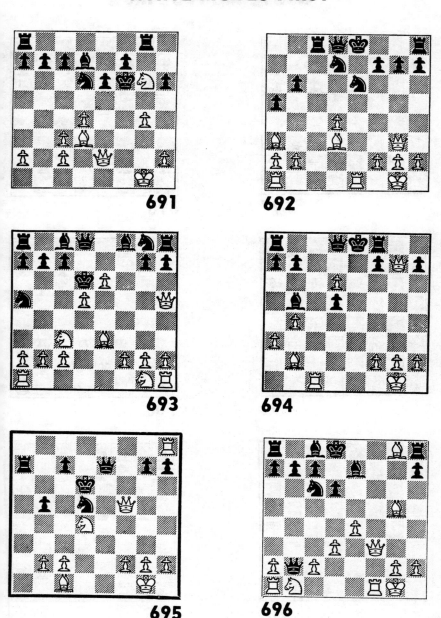

691

692

693

694

695

696

· HARRYING the KING · 125

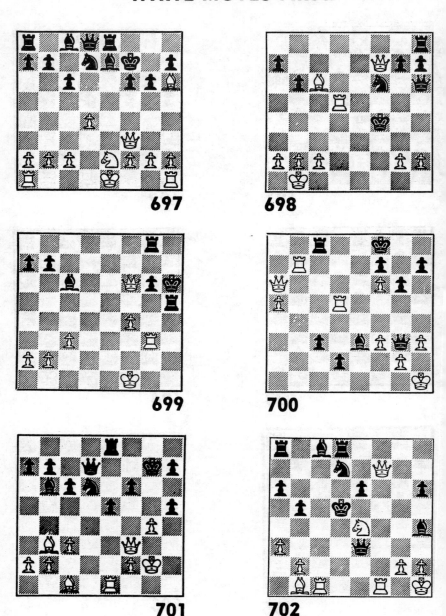

697

698

699

700

701

702

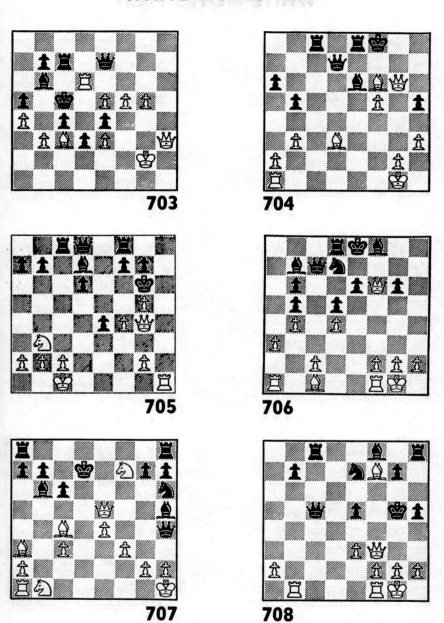

703

704

705

706

707

708

WHITE MOVES FIRST

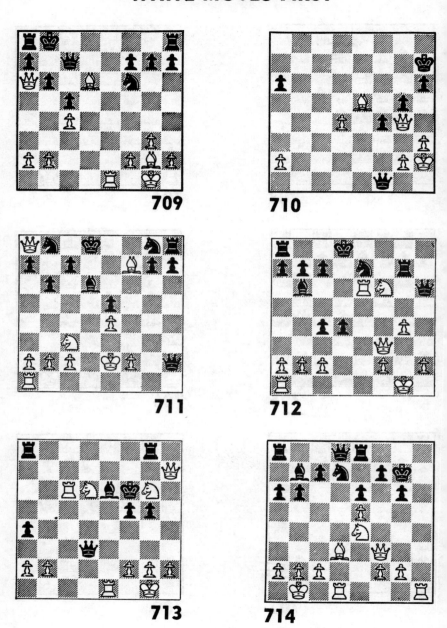

709

710

711

712

713

714

128 · HARRYING the KING ·

WHITE MOVES FIRST

715

716

717

718

719

720

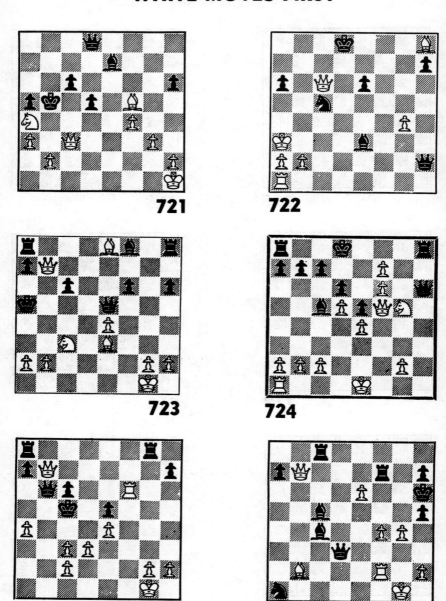

721

722

723

724

725

726

WHITE MOVES FIRST

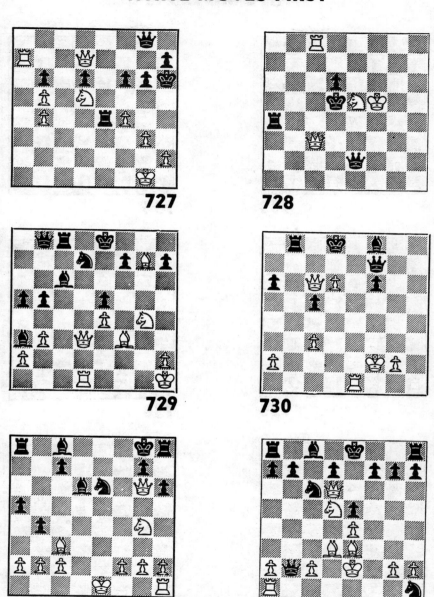

727

728

729

730

731

732

WHITE MOVES FIRST

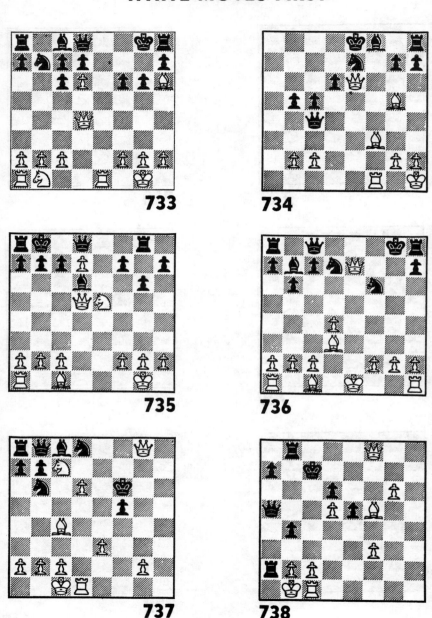

733

734

735

736

737

738

132 · HARRYING the KING ·

WHITE MOVES FIRST

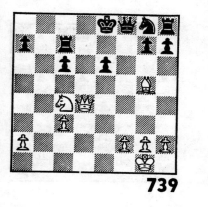

739

740

741

742

743

744

WHITE MOVES FIRST

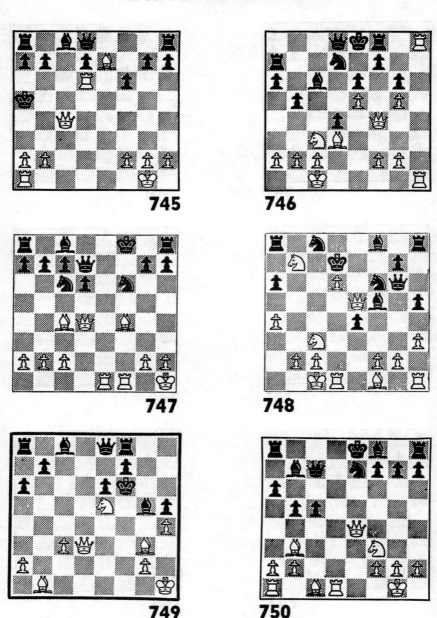

745

746

747

748

749

750

134 · HARRYING the KING ·

WHITE MOVES FIRST

751

752

753

754

755

756

BLACK MOVES FIRST

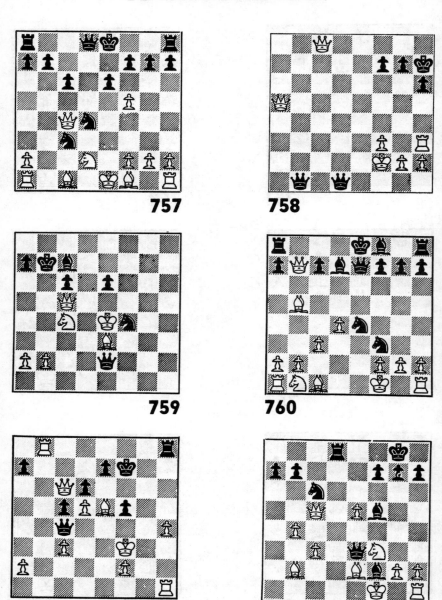

757

758

759

760

761

762

BLACK MOVES FIRST

763

764

765

766

767

768

BLACK MOVES FIRST

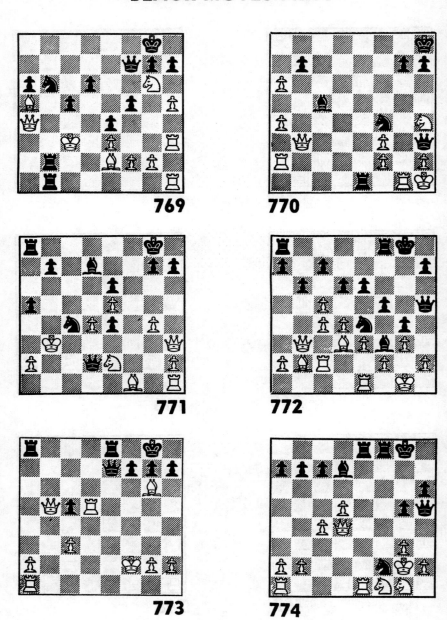

769

770

771

772

773

774

BLACK MOVES FIRST

775

776

777

778

779

780

BLACK MOVES FIRST

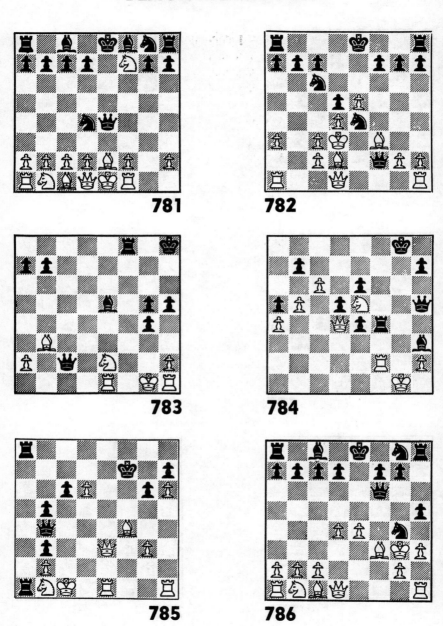

781

782

783

784

785

786

140 · HARRYING the KING ·

BLACK MOVES FIRST

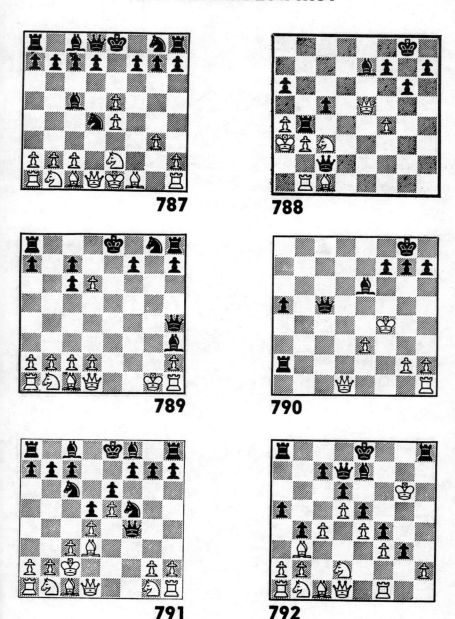

787

788

789

790

791

792

BLACK MOVES FIRST

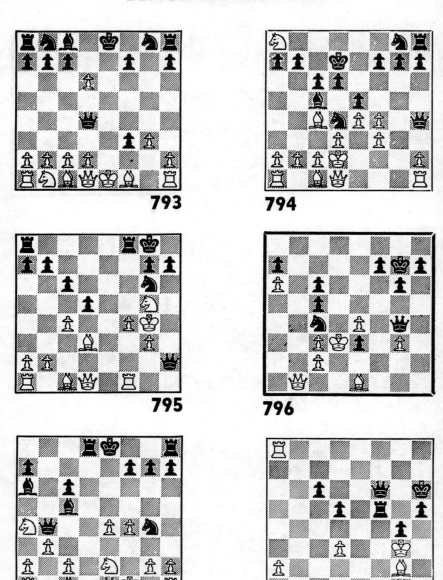

793

794

795

796

797

798

BLACK MOVES FIRST

799

800

801

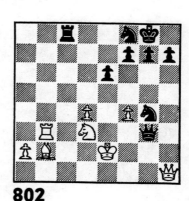

802

803

804

BLACK MOVES FIRST

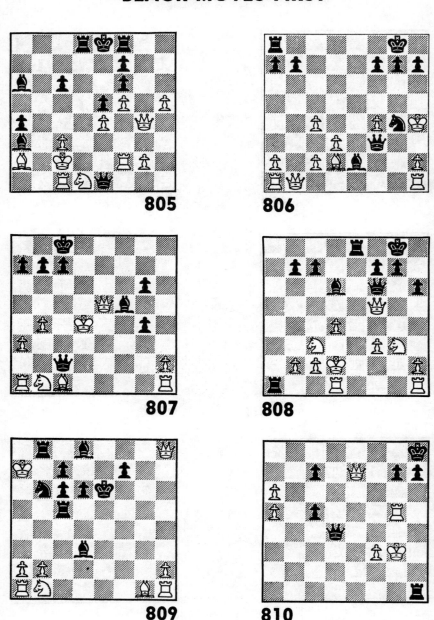

805

806

807

808

809

810

144 · HARRYING the KING ·

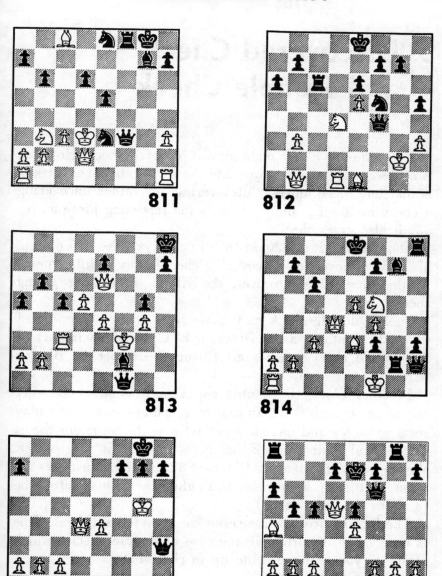

811

812

813

814

815

816

5. Discovered Check and Double Check

Every double check includes a discovered check. How can two pieces give check at one and the same time? The answer is that one piece moves, "discovering" or rather uncovering a check by another piece. And, as the screening piece moves off, it also gives check.

Thus in Diagram 820 when White plays 1 N—R6 dbl ch, his Knight moves to "discover" a check by the White Queen. At the same time, however, the Knight himself is giving check.

Such a double check may come right at the beginning of the mating attack, as in Diagram 821, when the impact of the double check crushes all further resistance on Black's part.

In other cases, the double check may come at the very end of the combination. In that case, the opening moves may seem shadowy and inconsequential; it is the ferocious thrust of the final double check that gives them their true power. We see such an attack in Diagram 822, which illustrates the point that such a murderous double check may often be fatal for the defender.

The best advice on discovered checks is: avoid them! This is even more important in the case of double checks, which often, as you will see, wind up in checkmates.

WHITE MOVES FIRST

817

818

819

820

821

822

· DISCOVERED and DOUBLE CHECK · 147

WHITE MOVES FIRST

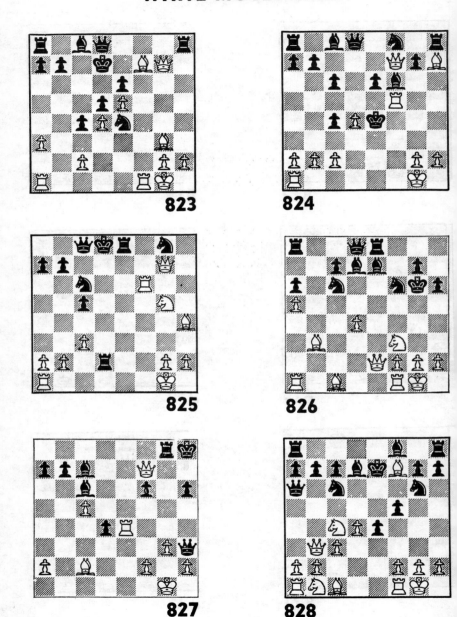

823

824

825

826

827

828

WHITE MOVES FIRST

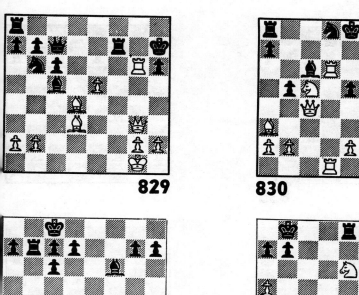

829

830

831

832

833

834

· **DISCOVERED** and **DOUBLE CHECK** · **149**

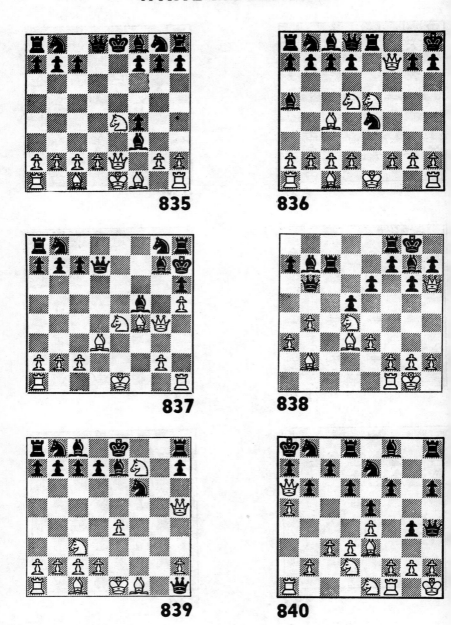

835

836

837

838

839

840

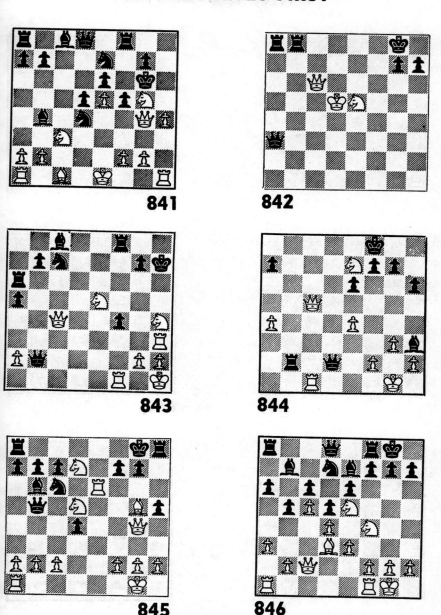

841

842

843

844

845

846

WHITE MOVES FIRST

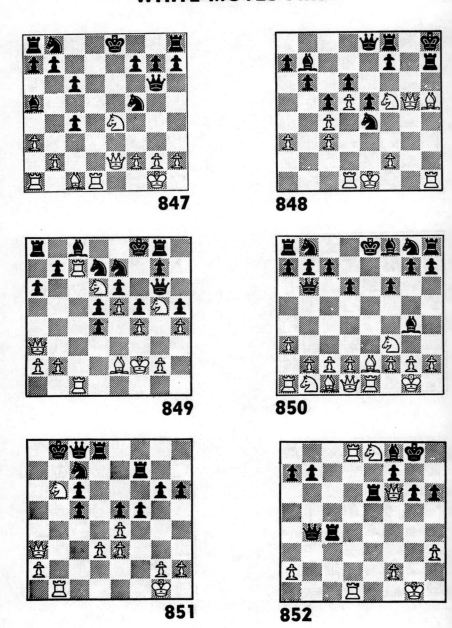

847

848

849

850

851

852

152 · DISCOVERED and DOUBLE CHECK ·

WHITE MOVES FIRST

853

854

855

856

857

858

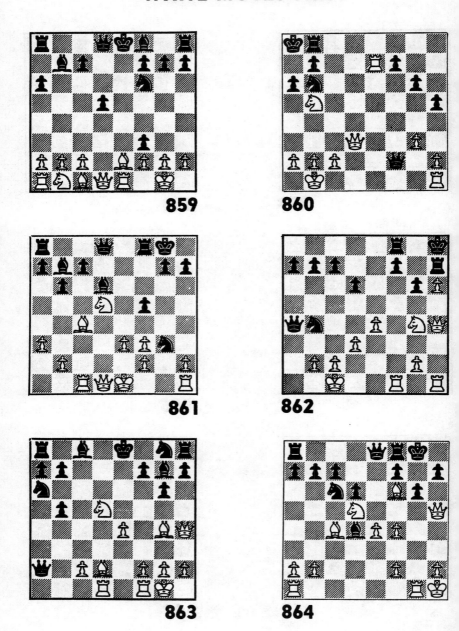

859

860

861

862

863

864

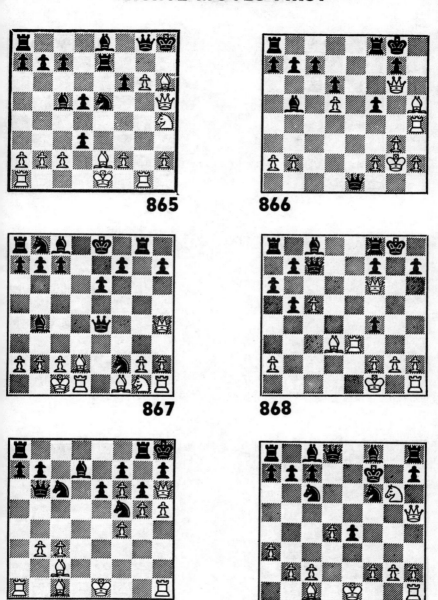

865

866

867

868

869

870

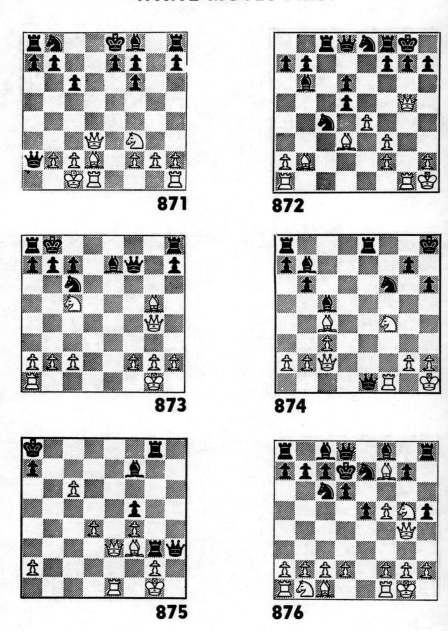

871

872

873

874

875

876

156 · DISCOVERED and DOUBLE CHECK ·

WHITE MOVES FIRST

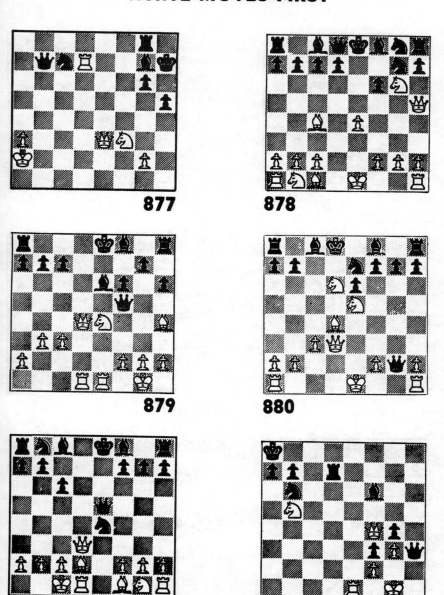

877

878

879

880

881

882

· **DISCOVERED** and **DOUBLE CHECK** · **157**

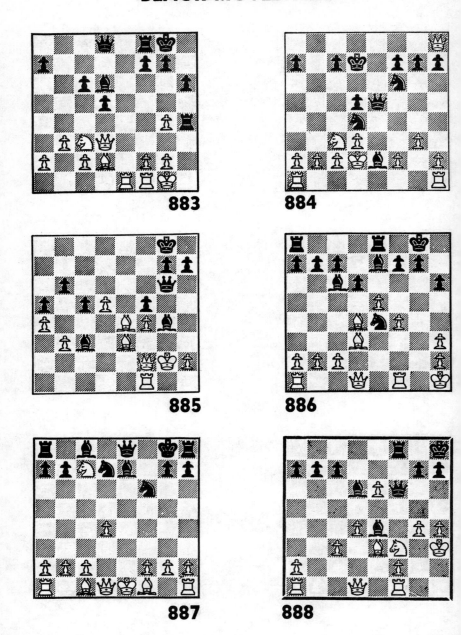

883

884

885

886

887

888

BLACK MOVES FIRST

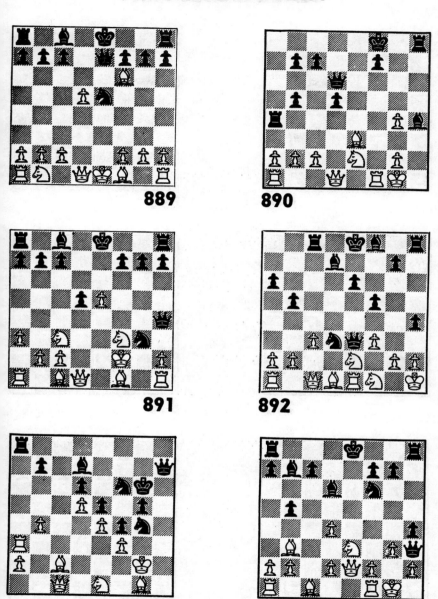

889

890

891

892

893

894

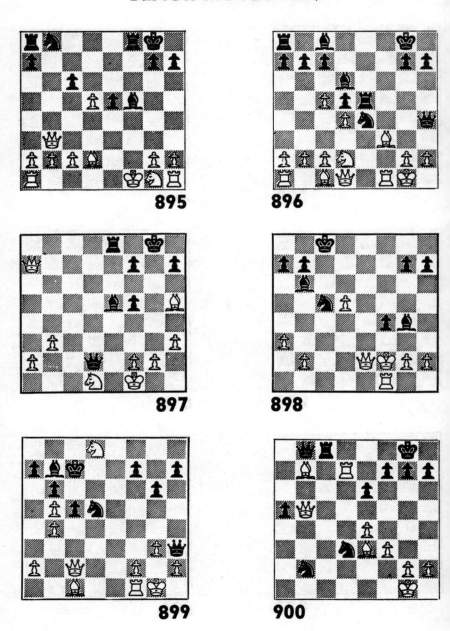

895

896

897

898

899

900

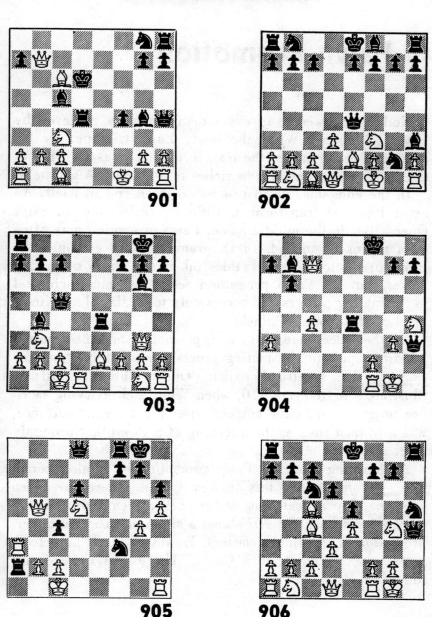

901

902

903

904

905

906

6. Pawn Promotion

Nothing is sweeter in chess than a victory achieved by Pawn promotion. When the lowly Pawn triumphs by becoming a major piece, the transformation is as thrilling as the hero's rise from rags to riches in a Horatio Alger story.

In the endgame, Pawn promotion is an end in itself. An extra Pawn is transformed, little by little, into an extra Queen. But in the middle game, Pawn promotion may often be a means to an end. In Diagram 909, for example, the Pawn promotion is a valuable link in the chain of mating moves. But the Pawn promotion really becomes incidental to the mating process and serves only to fix the Black King's head on the chopping block.

On the other hand, the Pawn promotion *may* become the important part of the mating process—more important, for example, than an already existing Queen. This is beautifully illustrated in Diagram 910, when White's electrifying sacrifice turns out to be the curtain-raiser for a second sacrifice, which in turn ensures the queening of a Pawn that promptly gives mate!

A charming motif of Pawn promotion is "under-promotion"—promotion to less than a Queen. There are often good, hard, practical reasons for such a seemingly quixotic choice—and Diagram 907 shows a situation in which under-promotion is startlingly efficient. However, in all but exceptional cases, promote to a Queen. The exceptions are rare indeed.

WHITE MOVES FIRST

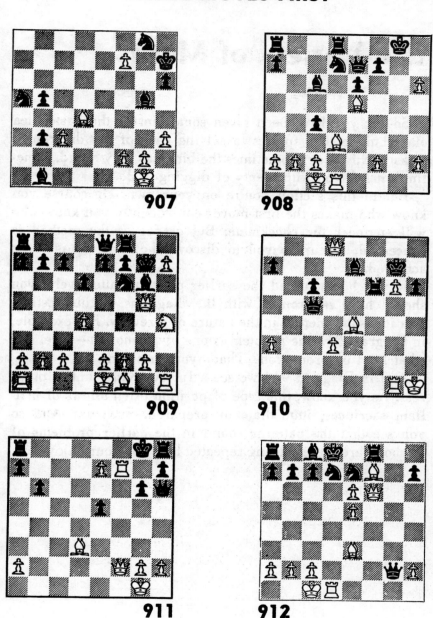

907

908

909

910

911

912

7. A Variety of Motifs

So far you have been given some hint of the basic idea or technique that applies to solving each of the diagramed tasks in this book. Sometimes the hint was very broad, sometimes it left you with plenty of digging to do.

But in this section you're on your own. Of course you know who makes the first move; consequently you know who will engineer the checkmate. But as far as the method is concerned, it's up to you to discover how victory is to be achieved.

If you have studied the earlier positions attentively, you should have no trouble with the diagrams in this section. The ideas are merely in the nature of a review. For example, in Diagram 913 the problem is one of promotion—sure. But what kind of promotion? That's your problem.

And in Diagram 914 we see a furious King-hunt in progress. As you know, this type of position often allows of brilliant sacrifices, immediate or prepared. Such as? And so you see that the patterns found in the earlier problems of the book are merely being repeated here for your enjoyment.

913

914

915

916

917

918

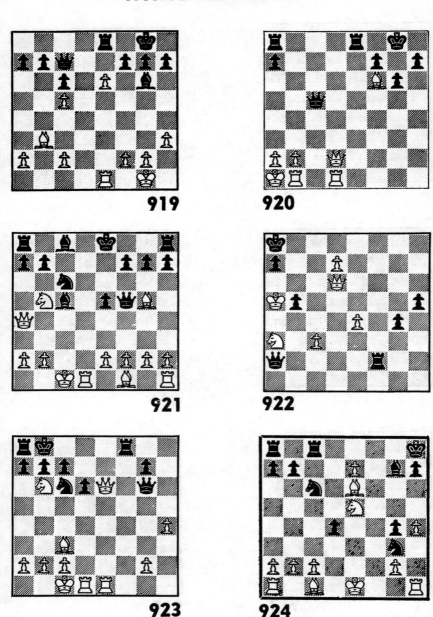

919

920

921

922

923

924

BLACK MOVES FIRST

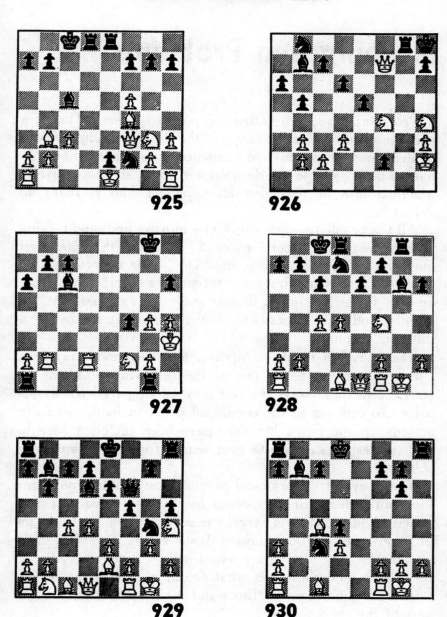

925

926

927

928

929

930

8. Composed Problems

Problems have been called the poetry of chess. That is a good description, for the fancy of the problem composer can be dedicated strictly toward constructing as beautiful a problem as he is capable of. He need not worry about the grimly practical task of defeating an opponent who is ready to defeat him.

All the problems start with White moving first, and forcing checkmate on his second move. If you find the *right* first move for White—known as the "key"—the rest follows by force. As a rule this first move threatens a specific checkmate on the following move. Black may try various ways of warding off this checkmate, but then he succumbs in a different manner.

The "key" is rarely a capture, and even more rarely a check. However, one or two of the following problems do start off in these ways, so you may be prepared for a surprise. To esthetes in the composed problem field, these are serious artistic flaws, but they have been included here to add the zest of surprise to your search for the one and only solution.

To the eye of the practical player, most problem positions look outlandish, for they could hardly ever have arisen in practical play. That is largely true, but there is still a lot of enjoyment to be obtained from trying to solve these problems. They give you a vivid insight into the power of the pieces, and show you what beautiful effects can be obtained from economy of force and the most efficient maneuvers of the chess pieces.

WHITE MOVES FIRST

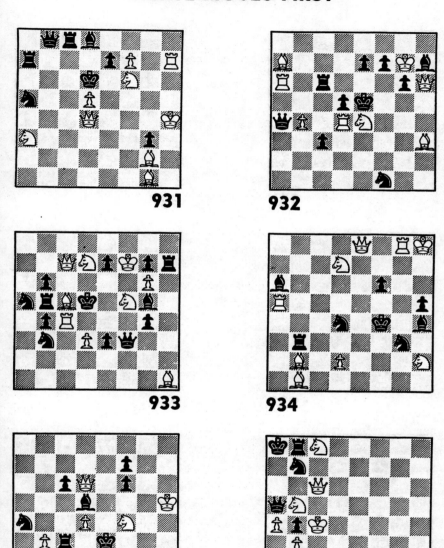

931

932

933

934

935

936

WHITE MOVES FIRST

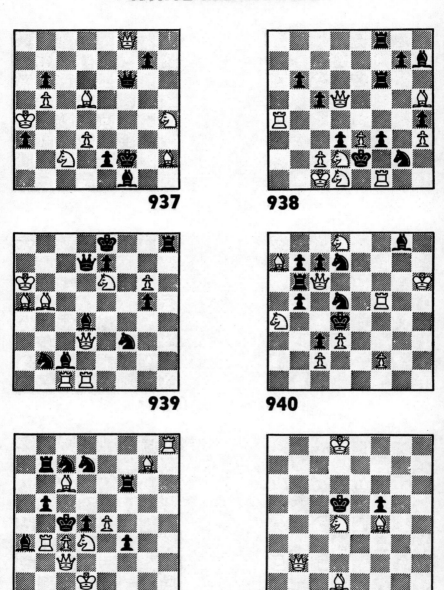

937

938

939

940

941

942

WHITE MOVES FIRST

943

944

945

946

947

948

WHITE MOVES FIRST

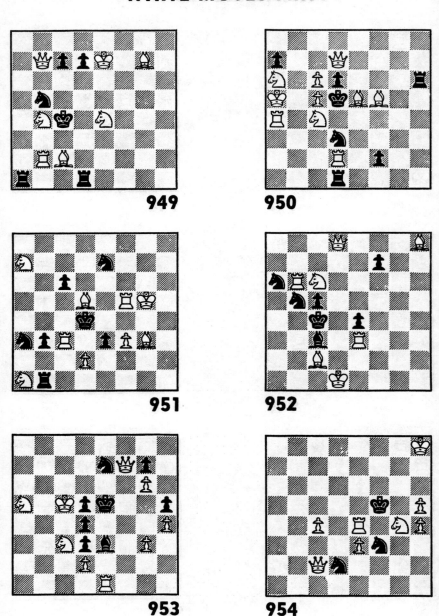

949

950

951

952

953

954

WHITE MOVES FIRST

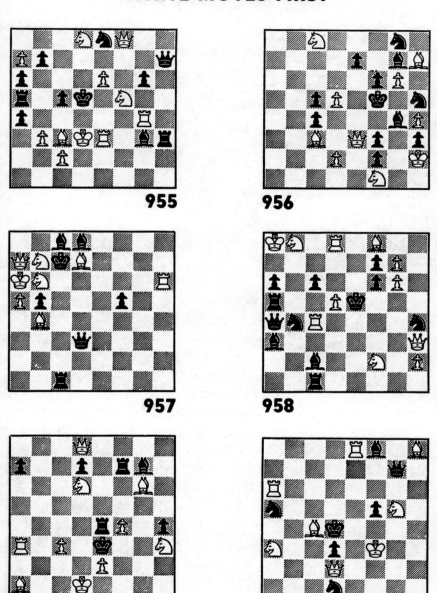

955

956

957

958

959

960

WHITE MOVES FIRST

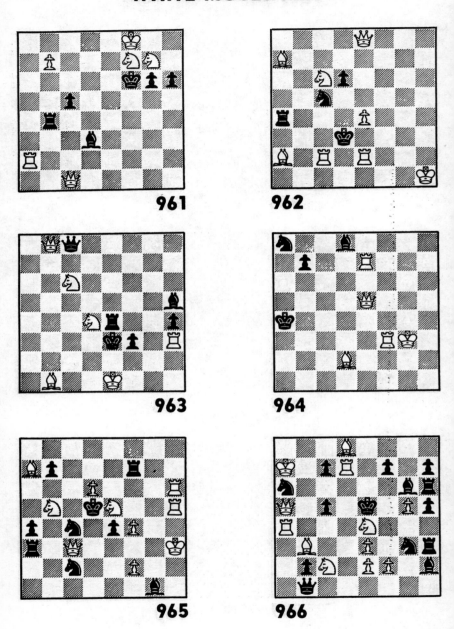

961

962

963

964

965

966

WHITE MOVES FIRST

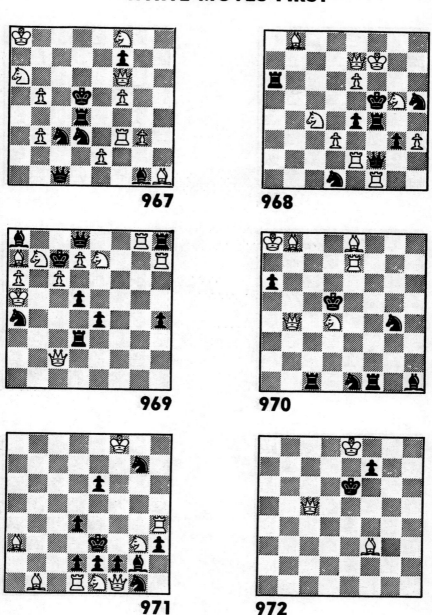

967

968

969

970

971

972

WHITE MOVES FIRST

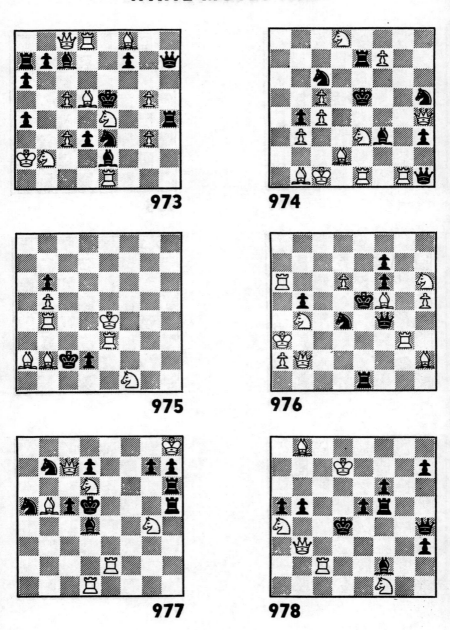

973

974

975

976

977

978

WHITE MOVES FIRST

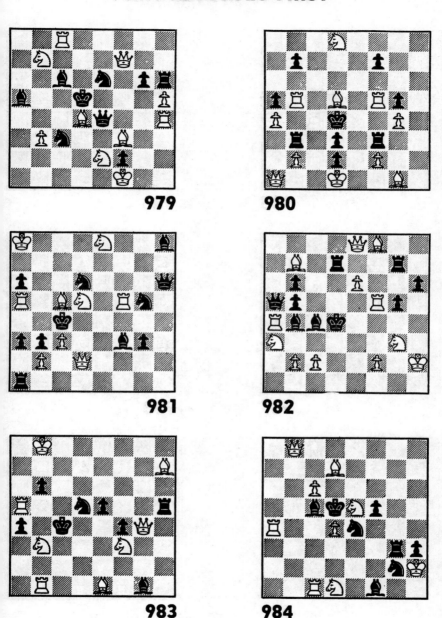

979

980

981

982

983

984

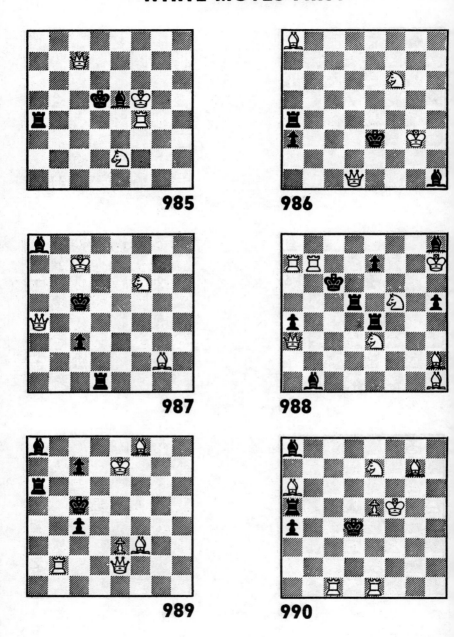

985

986

987

988

989

990

WHITE MOVES FIRST

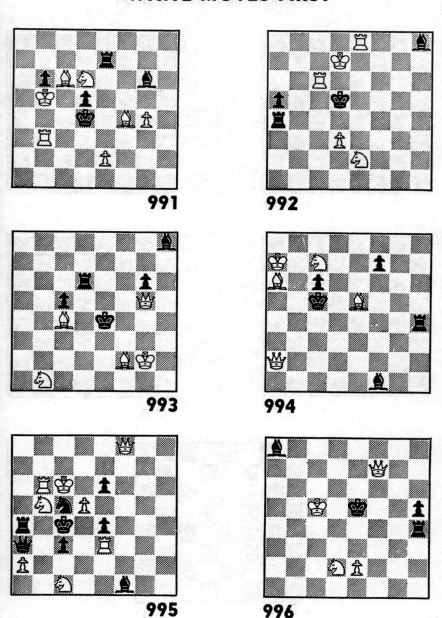

991

992

993

994

995

996

WHITE MOVES FIRST

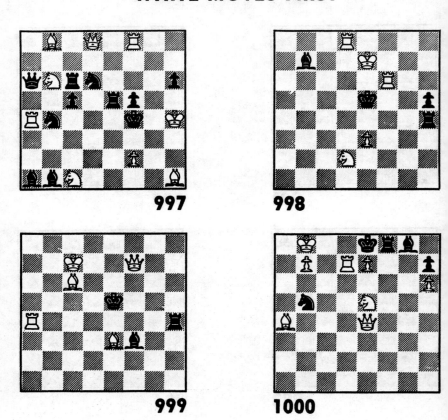

997   **998**

999   **1000**

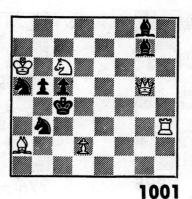

1001

Solutions

1
  1 QxBPch!   RxQ
  2 R—K8ch   R—B1
  3 RxRch   KxR
  4 R—K8 mate

2
  1 QxBPch!   NxQ
  2 BxN mate

3
  1 QxPch!   RxQ
  2 B—N6 mate

4
  1 N—B7ch   K—B1
  2 Q—Q8ch!   BxQ
  3 R—K8 mate

5
  1 R—B8!   RxR
  2 RxR   BxR
Or 2 . . . QxR; 3 Q—K7 mate.
  3 QxQ mate

6
  1 QxBch!   KxQ
  2 B—K2 mate

7
  1 QxPch!   KxQ
  2 B—KB4ch   K—Q2
  3 B—K6 mate

8
  1 Q—K1ch!   RxQ
  2 P—KN3 mate

9
  1 R—B8ch!   QxR
  2 QxPch!   RxQ
  3 RxR mate

10
  1 Q—R6ch!   RxQ
  2 BxRch   K—R2
  3 B—B8 mate

11
  1 QxRPch!   KxQ
  2 R—R4ch   K—N1
  3 R—K8 mate

12
  1 QxPch!   KxQ
  2 R—QR2ch   Q—R5
  3 RxQ mate

13
  1 QxNch!   KxQ
  2 N—B3ch   K—B4
  3 R—KB1 mate

14
  1 Q—Q6ch!   KN—K2
  2 Q—Q8ch!   NxQ
  3 RxN mate

15
  1 QxNch!   KxQ
  2 R—Q1ch   K—B1
  3 R—B8ch   Q—K1
  4 RxQch   B—Q1
  5 RxB mate

16
  1 Q—K8ch!   NxQ
  2 R—B8 mate

17
  1 Q—N4ch!   BxQ
  2 B—B7 mate

18
  1 QxPch!   KxQ
  2 P—R8/Qch!   RxQ
  3 R—KN5ch   K—B1
  4 RxRch   N—N1
  5 RxN mate

19
  1 QxPch!   RxQ
  2 R—N8 mate

20
  1 B—B8 dis ch   B—R4
  2 QxBch!   PxB
  3 R—R6 mate

21
  1 QxNch!   RxQ
  2 PxBPch   K—K2
  3 B—B5 mate

22
  1 N—K6!   RxB
If 1 . . . QxQ; 2 B—N7 mate.
  2 P—N5ch   QxP
  3 QxQ mate

23
  1 QxPch!   KxQ
  2 R—R4 mate

24
  1 Q—R8ch!   KxQ
  2 R—B8ch   K—R2
  3 N—N5ch   K—R3
  4 N—B7ch   K—R2
  5 R—KR8 mate

25
  1 QxPch!   PxQ
  2 B—K5ch   R—B3
  3 BxR mate

26
  1 Q—K7ch!   RxQ
  2 N—B6 mate

27
  1 Q—Q8ch!   BxQ
  2 R—K8 mate

28	1 Q—K7ch!	K—R3
	2 QxRPch!	KxQ
	3 R/K1—K7ch	K—R3
	4 R—KR8 mate	

29	1 QxPch!	KxQ
	2 R—KR5ch	K—N2
	3 B—R6ch	K moves
	4 B—B8 mate	

30	1 QxRPch!	PxQ
	2 RxPch	R—R2
	3 BxP mate	

31	1 Q—R5ch!!	NxQ
	2 PxP dbl ch	K—N3
	3 B—B2ch	K—N4
	4 R—B5ch	K—N3
	5 R—B6 dbl ch	K—N4
	6 R—N6ch	K—R5
	7 R—K4ch	N—B5
	8 RxNch	K—R4
	9 P—N3!	any
	10 R—R4 mate	

32	1 QxP!	PxQ
	2 B—R7 mate	

33	1 Q—B7ch!	NxQ
	2 N—K6 mate	

34	1 Q—B5ch!	NxQ
	2 P—K6 mate	

35	1 QxNPch!	KxQ
	2 R—KN4ch	K—R1
	3 B—B6 mate	

36	1 QxRch!	NxQ
	2 RxN mate	

37	1 Q—N5!	R—KN1

If 1 . . . PxQ; 2 R—R3 mate.

	2 QxRPch!	PxQ
	3 RxR mate	

38	1 N—B6!	NxQ

Any other move also allows mate.

	2 RxP mate	

39	1 Q—N6ch!	PxQ
	2 BxQNPch	K—B1
	3 R—QB7ch	K—Q1
	4 R—B7 dis ch	K—B1

If 4 . . . K—K1; 5 R—K7 mate.

	5 RxRch	Q—K1
	6 RxQch	K—Q2
	7 R—Q8 mate	

40	1 Q—N8ch!	RxQ
	2 N—B7 mate	

41	1 N—B8!!	RxN

If 1 . . . QxQ; 2 R—N8 mate.
Or 1 . . . QxN; 2 R—N8ch!, QxR;
3 Q—KB6ch and mate next move.

	2 R—N8ch!	RxR
	3 QxQch	R—N2
	4 QxR mate	

42	1 QxPch!	PxQ
	2 B—Q4ch	B—K4
	3 BxBch	R—B3

Or 3 . . . R—N2; 4 RxN mate.

	4 BxR mate	

43	1 QxPch!	KxQ
	2 R—KR4ch	K—N1
	3 R—R8 mate	

44	1 R—R8ch	K—B2
	2 QxNch!	KxQ
	3 R/R1—R7 mate	

45	1 BxP	Q—B2
	2 Q—R8ch!	BxQ
	3 RxB mate	

46	1 QxRPch!	NxQ
	2 R—Q8ch	Q—K1
	3 RxQch	N—B1
	4 R—R8ch!	KxR
	5 RxN mate	

Or 4 B—R7ch, K—R1; 5 RxN ma

47	1 QxRch!	KxQ
	2 B—B6ch	K—N1

Or 2 . . . Q—N2; 3 R—K8 mate.

	3 R—K8 mate	

48	1 Q—B7ch!!	NxQ
	2 P—K6ch	QxP
	3 N—B5ch	K—Q1
	4 NxQch	K—Q2
	5 N—B5ch	K—Q1
	6 N—N7ch	K—Q2
	7 B—R3ch	P—B4
	8 BxP mate	

49	1 QxKPch!	PxQ
	2 R—K6 mate	

50	1 QxPch!	KxQ
	2 R—KR5 mate	

51	1 QxNch!	PxQ
	2 NxPch	RxN
	3 R—Q8 mate	

(White can also begin with 1
NxPch.)

52   1 N—B7ch   RxN
If 1 . . . K—N1; 2 NxQ dbl ch,
K—R1; 3 Q—N8ch!, RxQ; 4 N—
B7 mate.
    2 Q—B8ch!   BxQ
    3 RxBch   R—B1
    4 RxR mate

53   1 QxRch!   KxQ
    2 R—Q8 mate

54   1 Q—Q8ch!   KxQ
    2 R—B8 mate

55   1 Q—K7ch!   BxQ
    2 R—Q4 mate

56   1 Q—K8ch!   NxQ
    2 B—Q5ch   B—K3
    3 BxBch   K—R1
    4 R—B8 mate

57   1 QxNPch!   KxQ
    2 KR—N1ch   K—B1
    3 BxN   Q—R6
    4 R—N8ch!   KxR
    5 RxQ   any
    6 R—R8 mate

58   1 QxRch!   KxQ
    2 R—N8 mate

59   1 QxNch!   KxQ
    2 N—R6ch   K—B1
    3 R—N8ch   K—K2
    4 R—N7ch   K—B1
    5 R—B7 mate

60   1 QxNch!   QxQ
    2 RxP mate

61   1 QxNch!   RxQ
    2 R—Q8ch   Q—K1
    3 RxQch   R—B1
    4 RxR mate

62   1 QxPch!   KxQ
    2 P—B6 dis ch   K—N1
    3 B—R7ch!   KxB
    4 R—R3ch   K—N1
    5 R—R8 mate

63   1 QxRPch!   RxQ
Or 1 . . . K—B1; 2 Q—B7 mate
(not to mention 2 N—N6 mate).
    2 N—N6 mate

64   1 QxNch!   BxQ
    2 NxP mate

65   1 Q—N8ch!   NxQ
    2 R—Q8 mate

66   1 Q—N6!!   . . . .
If now 1 . . . RPxQ; 2 N—K7
mate. If 1 . . . BPxQ; 2 N—K7ch,
K—R1; 3 RxR mate. If 1 . . . P—
KR3; 2 RxRP forces mate. And if
1 . . . Q—K5; 2 N—K7ch, QxN;
3 QxRP mate.
    1 . . . .   QxQ
    2 N—K7ch   K—R1
    3 NxQch   K—N1
    4 N—K7ch   K—R1
    5 RxPch!   KxR
    6 R—R3ch   R—KR5
    7 RxR mate

67   1 QxPch!   KxQ
    2 R—R7ch   K—B1
    3 R—B7 mate

68   1 RxB   QxR
If 1 . . . P—N3; 2 Q—R6 mate.
    2 QxPch!   QxQ
    3 N—Q7 mate

69   1 Q—B7ch!   NxQ
    2 N—N6 mate

70   1 QxNch!   KxQ
    2 R—R7ch   K moves
    3 R—R8ch   K moves
    4 R/R1—R7 mate

71   1 QxBPch!   NxQ
    2 BxNch   K—Q1
    3 N—K6 mate

72   1 Q—R8ch!   BxQ
    2 RxB mate

73   1 QxPch!!   KxQ
    2 B—B4ch   K—B3
    3 R/Q1—Q6ch!   BxR
    4 R—KB7 mate

74   1 Q—Q8ch   Q—B1
If 1 . . . B—B1; 2 RxPch (or
Q—B6ch) and mate next move.
    2 RxPch!   BxR
    3 Q—B6ch   Q—N2
    4 R—R1!   QxQ
    5 PxQ   B—R6
    6 RxB   any
    7 RxB mate

75   1 PxPch   RxP

If 1 ... KxP; 2 QxRPch, K—
B1; 3 Q—R8 mate or 3 Q—N8
mate.

2 QxRPch!	RxQ
3 RxRch	KxR
4 R—R1ch	K—N2
5 B—QR6ch	K moves
6 B—B8 mate	

76
1 QxPch!	RxQ
2 RxR mate	

77
1 QxPch!	RxQ

If 1 ... Q—N2; 2 QxQ mate.

2 R—N8 mate	

78
1 N—K7ch	K—R1
2 QxPch!	KxQ
3 R—R1 mate	

79
1 Q—R8ch!	BxQ
2 RxB mate	

80
1 QxNch!	RxQ
2 R—B8ch	R—Q1
3 B—N5 mate	

81
1 Q—Q8ch!!	KxQ
2 NxB dbl ch	K—K2

If 2 ... K—B1; 3 R—Q8 mate
or 2 ... K—K1; 3 NxPch, BxN;
4 B—N5 dis ch, B—K4; 5 R—Q8
mate.

3 B—N5ch	P—B3
4 N—Q8 dis ch	Q—K3
5 RxQ mate	

82
1 N—N5!	R—N2

If 1 ... QxQ; 2 NxBP mate.

2 R—Q8!	any
3 QxR mate	

83
1 Q—K8ch!	KxQ
2 B—N5 dbl ch	K moves
3 R—K8 mate	

84
1 QxRch!	KxQ
2 B—B6ch	K—K1
3 R—B8 mate	

85
1 N—K7ch	QxN

If 1 ... K—R1; 2 QxR mate.

2 QxRPch!	KxQ
3 R—R5ch	K—N1
4 R—R8 mate	

86
1 QxPch!	KxQ

Or 1 ... K—B1; 2 Q—R8ch fol-

lowed by 3 RxNP mate

2 N—B6 dbl ch	K—R1

If 2 ... K—R3; 3 R—N6 mate
or 3 R—R5 mate

3 R—R5 mate	

87
1 Q—R6	R—KN1
2 QxPch!	KxQ
3 R—KR3ch	N—R5
4 RxNch	K—N3
5 R—R6 mate	

88
1 Q—R6ch!	NxQ
2 BxN mate	

(1 B—KR6ch also forces mate.)

89
1 QxPch!	KxQ

If 1 ... K—B1; 2 R—R8 mate.

2 R—QN3ch	K—B4

If 2 ... K—B2; 3 P—Q6ch,
QxP; 4 R—R7ch, K—B1; 5 NxQ
mate.

3 R—R5ch	K—B5
4 R—N4ch!	KxR
5 B—Q2ch	Q—B6

If 5 ... K—B5; 6 P—N3 mate.

6 BxQch	K—B5
7 N—Q6 mate	

90
1 B—B7!	QxQ

If 1 ... QxB; 2 QxRch and
mate next move.

2 R—N8ch	RxR
3 RxR mate	

91
1 Q—R6!	QxRch
2 K—R2	R—KN1
3 QxRPch!	KxQ
4 R—R4 mate	

92
1 QxRPch!	K—N1

If 1 ... KxQ; 2 B/R4xP mate.

2 Q—R8ch!	KxQ
3 BxP dbl ch	K—N1
4 R—R8 mate	

93
1 QxRPch!	KxQ
2 R—R3ch	K—N1
3 R—R8 mate	

94
1 QxNch!	PxQ
2 B—QR6 mate	

95
1 Q—KB3ch	B—N5

If 1 ... N—N5; 2 Q—KR3 mate.

2 QxBch!	NxQ
3 N—N3ch	K—R5
4 N—B3 mate	

96 1 QxRPch! — KxQ
2 R—R4ch — Q—R3
3 RxQ mate

97 1 Q—N6ch! — RxQ
2 PxRch — K—N1
3 RxBch — QxR
4 RxQ mate

98 1 QxPch! — KxQ
2 R—R3 mate

99 1 Q—R5ch! — PxQ
2 N—B5 mate

100 1 QxNch! — PxQ
2 B—B6 mate

101 1 Q—R6ch!! — KxQ
If 1 . . . K—B2; 2 Q—B8ch,
K—K3; 3 Q—K7ch and mate next
move.
2 B—B8ch — K—R4
3 P—N4ch — K—R5
4 B—K7ch — P—N4
5 BxPch — K—R6
6 N—B2ch — KxP
7 B—B4 mate

102 1 Q—R7ch! — NxQ
2 BxN mate

103 1 Q—N5!! — P—N3
If 1 . . . QxQ; 2 RxR mate.
2 Q—R6 — PxN
3 R—N4ch — PxR
4 BxPch — K—R1
5 B—N6 dis ch — K—N1
6 Q—R7ch — K—B1
7 QxP mate

104 1 QxPch! — PxQ
2 BxR mate

105 1 QxRPch! — KxQ
2 R—R4 mate

106 1 RxBch — PxR
2 QxP/R6ch! — RxQ
3 BxR mate
(2 BxPch also does the trick.)

107 1 QxRPch! — KxQ
2 R—R3ch — K—N3
3 R—N1 mate

108 1 Q—B6ch! — BxQ
2 R—R7ch — K—N1

3 PxB — R—Q1
4 R/Q1—R1! — . . . .
Followed by R—R8 mate.

109 1 QxPch! — KxQ
2 B—R6ch — K—N1
3 R—N6ch! — . . . .
Another way—less brilliant—was
3 N—K7ch, NxN; 4 BxP mate.
3 . . . . — RPxR
4 N—B6 mate

110 1 QxNch! — PxQ
If 1 . . . KxQ; 2 R—KR3 mate.
2 N—B6ch — K—R1
3 RxR mate

111 1 QxPch! — KxQ
2 R—R3ch — K—N2
3 B—R6ch — K moves
4 BxR mate

112 1 Q—B6ch! — NxQ
2 B—K7 mate

113 1 Q—R7ch! — RxQ
2 RxR mate

114 1 Q—N6ch! — NxQ
2 PxN mate

115 1 Q—R6ch!! — KxQ
2 N/R4—B5ch — BxN
3 NxBch — K—R4
4 P—KN4ch — KxP
5 R—N3ch — K—R4
6 B—K2 mate

116 1 QxNPch! — KxQ
2 B—B6ch — K—N1
3 R—KR4 — any
4 R—R8 mate

117 1 Q—N6ch! — PxQ
2 N—N7 mate

118 1 QxPch! — PxQ
2 B—QR6 mate

119 1 Q—N6! — Q—N1
If 1 . . . PxN; 2 Q—R7 mate, or
1 . . . NxQ; 2 N—B7 mate.
2 Q—R7ch — . . . .
Another way is 2 N—B7ch, QxN;
3 Q—R7 mate.
2 . . . . — QxQ
3 N—B7 mate

120 1 R—N2!! Q—Q1
If 1 . . . QxR; 2 QxR mate.
2 QxRPch! KxQ
3 R—R3ch Q—R5
4 RxQ mate

121 1 Q—R6ch!! KxQ
2 PxP dis ch K—N4
3 R—R5ch! KxR
4 P—B4 dis ch NxB
5 N—B6ch K—R3
6 R—R1ch K—N2
7 N—K8ch! RxN
8 RxPch K—B3
9 RxP mate

122 1 QxRPch! KxQ
2 R—KR3 mate

123 1 Q—B8ch! RxQ
2 RxR mate

124 1 Q—R5ch! K—N2
If 1 . . . KxQ; 2 R—R3 mate.
2 Q—R7ch K moves
3 Q—KB7 mate

125 1 Q—B7ch! RxQ
2 PxR mate

126 1 QxRPch! KxQ
2 R—R3ch K—N1
3 R—R8 mate

127 1 Q—B8ch! RxQ
2 N—Q7 mate

128 1 QxPch! K—R1
If I . . . KxQ; 2 R—N3 mate.
2 BxN PxB
If 2 . . . RxN; 3 Q—R7 mate, or 2 . . . Q—B2; 3 QxPch, R—R2; 4 QxR/B8 mate.
3 QxPch R—R2
4 QxR/R7 mate

129 1 N—N6ch! PxN
2 QxNch! PxQ
3 B—QR6 mate

130 1 Q—Q5ch! NxQ
2 PxN mate

131 1 Q—B4! RxQ
White threatened Q—N8 mate.
2 RxN mate

132 1 QxPch! PxQ
2 P—B7ch! QxP
3 R—R8 mate

133 1 B—N7ch K—B2
2 Q—K6ch! NxQ
3 PxN mate

134 1 QxN/R6ch! KxQ
2 N—K6 dis ch K—R4
3 B—K2ch K—R5
4 R—B4ch! NxR
5 P—N3ch K—R6
6 NxN mate

135 1 QxRPch! KxQ
2 R—KR5 mate

136 1 R—K8ch B—B1
2 B—R6! QxQ
3 RxB mate

137 1 QxNch! RxQ
2 BxNP mate

138 1 QxPch! PxQ
2 B—N6 mate

139 1 QxBch! RxQ
2 R—K8ch R—KB1
3 RxR mate

140 1 Q—K8ch! KxQ
2 N—B6ch K—Q1
3 N—B7 mate

141 1 RxRPch! PxR
If 1 . . . KxR; 2 Q—N6 mate; or 1 . . . K—N1; 2 N—B6ch, K—B2; 3 Q—N6 mate.
2 N—B6ch K—R1
3 Q—N8 mate

142 1 N—N3ch K—R3
2 Q—R4ch! PxQ
3 B—QB4ch K—N2
4 N—R5 mate

143 1 QxRPch! NxQ
2 RxNch KxR
3 R—KR3ch B—R3
4 RxB mate

144 1 QxRPch! BxQ
2 P—B7 dis ch P—K4
3 BxKP mate

145 1 N—B6ch! PxN
2 Q—B8ch!! KxQ
3 B—R6ch K—N1

4 R—K8 mate

146 1 QxP   PxQ
     2 B—R7 mate

147 1 Q—N4ch!   BxQ
     2 PxB dbl ch   KxP
     3 N—R2ch   K—R4
     4 N—B1 dis ch   K—N5
     5 B—K6ch!   QxB
     6 P—KB3 mate

148 1 QxPch!   PxQ
     2 P—N6ch   PxP
     3 PxP mate
(White can also mate beginning
with 1 PxPch etc.)

149 1 Q—K7ch!   NxQ
     2 N—B6 mate

150 1 QxPch!   RxQ
     2 RxRch   KxR
     3 R—R3ch   K—N2
     4 B—R6ch   K moves
     5 B—B8 mate

151 1 QxBPch!   RxQ
     2 R—K8 mate

152 1 QxPch!   PxQ
     2 B—N6 mate

153 1 Q—R5ch!   RxQ
     2 B—N6 mate

154 1 N—K5 dis ch!   NxQ
     2 B—K2ch   B—N5
     3 BxB mate

155 1 QxRch!   KxQ
     2 R—K8 mate

156 1 QxKPch!   QxQ
If 1 . . . B—K2; 2 B—QB6ch!,
QxB; 3 QxB mate or 2 . . . . K—B1;
3 QxR mate.
     2 B—QB6ch   RxB
     3 R—Q8 mate

157 1 Q—N8ch!   KxQ
     2 R—K8ch   RxR
     3 RxR mate
(White can also mate with 1 R—
K8ch! and 2 Q—N8ch!)

158 1 QxPch!   KxQ
     2 R—R4 mate

159 1 Q—K8ch!   RxQ
     2 RxR mate

160 1 Q—N6!!   PxQ
     2 N—R7 mate

161 1 QxPch!   KxQ
     2 R—QR3ch   K—N2
     3 B—R6ch   K moves
     4 B—B8 mate

162 1 QxPch!   KxQ
If 1 . . . PxQ; 2 RxN mate.
     2 RxNch   K—N4
     3 R—R5 mate

163 1 QxPch!   QxQ
     2 N—B7 mate

164 1 Q—B8ch!   RxQ
     2 RxR mate

165 1 Q—K5!   QxR
If 1 . . . BxQ; 2 BxB mate. Or
1 . . . Q—B1; 2 R—K8 forcing
mate.
     2 QxQ   BxQ
     3 B—K5ch   B—B3
     4 BxB mate

166 1 QxRch!   KxQ
If 1 . . . BxQ; 2 BxBP mate.
     2 RxPch   K—N1
     3 R—N7dbl ch   K moves
     4 R—N8 mate

167 1 Q—B5ch!   KxQ
     2 B—B7!!   any
     3 N—K3 mate

168 1 QxBPch!   NxQ
     2 N—N6 mate

169 1 Q—B7ch!   NxQ
     2 PxN mate

170 1 QxRch!   RxQ
     2 R—B8ch   R—N1
     3 RxR mate

171 1 QxBch!   NxQ
     2 N—K6 mate

172 1 Q—R6!   PxQ
If 1 . . . PxB; 2 NxPch, K—R1;
3 QxP mate.
     2 NxP mate

173
1 R/N3—R3! BxR
2 Q—R7ch K—B1
3 Q—R8 mate

174
1 QxPch!! KxQ
2 R—R5ch K—N1
3 N—N6 R—B3
4 R—R8ch K—B2
5 R—B8 mate

175
1 Q—K8ch! NxQ
2 N—B7ch K—Q2
3 B—K6 mate

176
1 Q—Q5ch! BxQ
2 BPxB mate

177
1 Q—R8ch R—N1
2 QxRch! KxQ
3 R—R8 mate

178
1 QxPch! KxQ
If 1 . . . K—K3, 2 QxBch, K—K2; 3 B—R3 mate.
2 B—R3ch K—B5
3 B—N5ch KxP
4 QR—B1 mate

179
1 Q—N7ch! RxP
2 PxRch KxP
If 2 . . . K—R2; 3 P—N8/Qch leads to mate.
3 R—B7ch K moves
4 R—B8ch K moves
5 R/B2—B7 mate

180
1 QxKPch! BPxQ
If 1 . . . QPxQ; 2 B—B5 mate.
2 B—N5 mate

181
1 BxPch K—R1
If 1 . . . RxB; 2 QxRch, K—R1; 3 Q—B8ch, RxQ; 4 RxR mate.
2 QxPch! KxQ
3 R—KR4 mate

182
1 QxNch! PxQ
2 BxPch K—K2
3 B—QB5 mate

183
1 QxPch! BxQ
2 R—B7ch K—Q3
3 N—N5ch K—Q4
4 P—B4ch K—K5
5 QR—K1 mate

184
1 QxBPch! RxQ

2 R—B8ch B—K1
3 RxBch R—B1
4 RxR mate

185
1 N—N6ch K—N1
2 Q—N7ch! RxQ
3 N—R6 mate

186
1 Q—N5ch! PxQ
2 BxP mate
(1 B—KN5ch also forces mate.)

187
1 QxRPch! KxQ
2 R—R4 mate

188
1 QxBPch! PxQ
2 B—KR6 mate

189
1 Q—B6! PxQ
2 RxR mate

190
1 PxPch KxP
2 QxNch! KxQ
If 2 . . . K—R1; 3 Q—B6 mate.
3 N—K6 dis ch K—R4
4 R—B5ch K—R5
5 R—B4ch K—R4
6 N—N7ch K—N4
If 6 . . . K—R3; 7 RxP dis ch, B—K6; 8 BxB mate.
7 P—R4ch K—R3
8 RxP dis ch B—K6
9 BxB mate

191
1 N—K6ch K—K1
2 Q—Q8ch! BxQ
3 R—B8ch! RxR
4 N—N7 mate

192
1 QxRP! PxQ
2 B—R7 mate

193
1 QxPch! PxQ
2 B—QR6 mate

194
1 Q—N6! BPxQ
If 1 . . . RPxQ; 2 R—R3 mate.
If 1 . . . R—N1; 2 QxRPch, KxQ; 3 R—R3 mate.
2 N/K7xPch PxN
3 R—R3 ch Q—R5
4 RxQ mate

195
1 Q—K6ch!! QxQ
2 N—Q7! QxN
3 R—N8ch!! KxR
4 PxQ any
5 P—Q8/Q mate

188 · SOLUTIONS ·

196	1 B—B7ch	K—K2	
	2 QxNch!	KxQ	
	If 2 . . . PxQ; 3 N—Q5 mate.		
	3 N—Q5ch	K—K4	
	4 N—KB3ch	KxP	
	5 N—B3 mate		
197	1 QxRch!	KxQ	
	2 P—K7 mate		
198	1 Q—R7ch!	KxQ	
	2 RxPch	RxR	
	3 N—B6ch	K—N3	
	4 B—R5ch	K—B4	
	5 P—N4ch	RxP	
	6 PxR mate		
199	1	Q—R7ch	
	2 K—B1	Q—R8ch!	
	3 NxQ	RxN mate	
200	1	QxPch!	
	2 KxQ	N—N5ch	
	3 K—B3	....	
	If 3 K—N1, B—K6 mate.		
	3	P—K5ch	
	If now 4 PxP or NxP, then . . .		
	N/Q2—K4 mate.		
	4 KxP	N/Q2—B3ch	
	5 K—B3	N—K4ch	
	6 K—B2	N/B3—N5ch	
	7 K—N1	B—K6 mate	
201	1	QxRch!	
	2 KxQ	R—B8 mate	
202	1	QxNch!	
	2 PxQ	B—R6 mate	
203	1	N—Q6 dbl ch	
	2 K—Q1	Q—K8ch!	
	3 RxQ	N—KB7 mate	
204	1	QxPch!	
	2 KxQ	N—N5ch	
	3 K—N1	N—R6ch	
	4 K—B1	N—R7 mate	
205	1	QxBch!	
	2 KxQ	B—B4ch	
	3 K—Q3	NxN mate	
206	1	Q—R4ch!	
	2 KxQ	RxPch	
	3 K—N4	P—R4 mate	
207	1	N—K7ch!	
	If now 2 Q or BxN, Q—R6ch		

	followed by 3 . . . Q—N7 mate.		
	2 K—N1	QxPch!	
	3 PxQ	RxPch	
	4 K—B2	R—N7 mate	
208	1	Q—K6!	
	If now 2 QxR, QxRch leads to		
	mate. Or 2 RxR, QxR/R6ch etc. If		
	2 Q—Q3, RxR mate.		
	2 RxQ	R—R7ch	
	3 K—N1	R/K7—N7 mate	
209	1	QxBch!	
	If now 2 NxQ, NxP mate.		
	2 K—B2	N—B4 dis ch	
	3 B—K3	QxB mate	
210	1	QxPch!	
	2 RxQ	R—B8ch	
	3 Q—Q1	RxQ mate	
211	1	Q—N6ch!	
	2 KxQ	P—K8/Qch	
	3 K—R3	R—K6ch	
	4 K—R2	QxPch	
	5 K—N1	R—K8 mate	
212	1	QxPch!	
	2 PxQ	B—B3ch	
	3 K—R2	B—N6 mate	
213	1	QxP!	
	2 PxQ	N—R6 mate	
214	1	Q—K6ch	
	2 B—Q2	....	
	If 2 R—Q2, R—K8 mate or . . .		
	R—B8 mate.		
	2	QxBch!	
	3 RxQ	R—B8ch	
	4 R—Q1	N—N6ch!	
	5 PxN	KBxP mate	
215	1	Q—B8ch!	
	2 B—N1	Q—B6ch!	
	3 BxQ	BxB mate	
216	1	Q—R8ch!	
	2 KxQ	B—B6ch	
	3 K—N1	R—Q8ch	
	4 R—K1	RxR mate	
217	1	QxRch!	
	2 KxQ	R—B8 mate	
218	1	Q—N8ch!	
	2 RxQ	N—B7 mate	
219	1	Q—Q7ch!	

	2 BxQ	R—B7ch
	3 Q—N2	RxQ mate
220	1	Q—R7ch!
	2 NxQ	N/B8—N6 mate
221	1	QxRch!
	2 NxQ	N—B6ch!
	3 QxN	R—K8ch
	4 B—B1	RxB mate
222	1	QxPch!
	2 KxQ	N—N5ch
	3 K—N1	N—R6ch
	4 K—B1	N—R7 mate
223	1	Q—N7ch!
	2 KxQ	RxNP mate
224	1	Q—Q7ch!
	2 K—N1	Q—Q8ch!
	3 RxQ	RxR mate
225	1	Q—R5ch!
	2 KxQ	....

If 2 K—B3, Q—B7 mate; or 2 K—R2, Q—B7ch and mate next move.

	2	B—B7ch
	3 K—N5	P—R3 mate
226	1	N—Q7ch!
	2 RxN	Q—K8ch!
	3 KxQ	R—N8 mate
227	1	QxPch!!
	2 KxQ	R—R3ch
	3 K—N3	N—K7ch
	4 K—N4	R—B5ch
	5 K—N5	R—R7!
	6 QxNch	KxQ
	7 N—KB3	P—R3ch
	8 K—N6	K—N1!
	9 NxR	R—B4!!
	10 PxR	....

Or 10 P—KN3, R—N4 mate.

	10	N—B5 mate
228	1	QxPch!
	2 RxQ	R—Q8ch
	3 Q—K1	RxQch
	4 R—N1	BxN mate
229	1	QxPch!
	2 RxQ	R—B8ch
	3 R—B1	BxPch
	4 K—R1	RxR mate

230	1	QxNch!
	2 KxQ	R—B8 mate
231	1	QxNch!
	2 PxQ	B—R6ch
	3 K—B2	B—R5ch
	4 K—N1	R—K8ch
	5 Q—B1	RxQ mate
232	1	QxNch!
	2 KxQ	....

If 2 K—N1, N—B6 mate.

	2	N—K6 dis ch
	3 B—K6	BxBch
	4 K—R4	N—B6ch
	5 K—R5	B—N5 mate
233	1	Q—Q7ch!
	2 BxQ	N—B7 mate
234	1	Q—B5ch!
	2 NxQ	NPxN mate
235	1	Q—N8ch!
	2 RxN	N—B7ch
	3 K—N2	B—R6 mate
236	1	Q—R8ch!
	2 KxQ	R—B8 mate
237	1	QxBPch!
	2 RxQ	R—K8ch
	3 R—B1	B—R7ch
	4 K—R1	RxR mate
238	1	QxNch!
	2 RxQ	R—N8ch
	3 Q—Q1	RxQch
	4 R—B1	B—Q5ch
	5 K—R1	RxR mate
239	1	QxNPch!
	2 NxQ	RxKRPch
	3 K—N1	N—K7 mate
240	1	QxPch!
	2 PxQ	B—QR6 mate
241	1	P—N7ch
	2 BxP	....

Other captures also lead to mate.

	2	QxPch!
	2 BxQ	RxR mate
242	1	Q—R8ch!
	2 KxQ	B—B6ch
	3 K—N1	RxRch
	4 BxR	RxB mate
243	1	Q—N8ch!
	2 RxQ	N—B7 mate

244	1	QxPch!
	2 PxQ	BxP mate

(Another, less brilliant way is 1 ... Q—N6 etc.)

245	1	QxPch!
	2 KxQ	R—R3 mate

246	1	Q—K8ch!
	2 BxQ	N—K7ch
	3 K—R1	R—B8 mate

247	1	QxNPch!
	2 KxQ	B—B6ch
	3 K—B1	....

If 3 K—N3, B—B7 mate.

	3	N—R7 mate

248	1	QxP!!
	2 PxQ	RxP
	3 B—K1	B—K6ch!
	4 any	R—N8 mate

249	1	QxBPch!
	2 PxQ	B—QR6 mate

250	1	RxPch!
	2 BxR	....

If 2 KxR, Q—R1ch forces mate.

	2	N—N6ch
	3 BxN	Q—R1ch
	4 B—R2	QxBch!
	5 KxQ	R—R1ch
	6 Q—R5	RxQ mate

251	1	Q—Q3ch
	2 K—R3	N—B5ch!
	3 K—N3 N—R4 dbl ch	
	4 K—R3	Q—N6ch!
	5 RxQ	N—B5 mate

252	1	Q—R7ch!
	2 NxQ	N/B8—N6 mate

253	1	QxPch!
	2 KxQ	PxN dbl ch
	3 K—N2	R—R7 mate

254	1	QxRch!
	2 BxQ	N—B6 mate

255	1	QxBch!
	2 PxQ	P—K7ch
	3 RxP	R—Q8ch
	4 R—K1	RxR mate

256	1	QxRPch!
	2 PxQ	RxPch

	3 K—N2	R—R7ch
	4 K—N3	B—Q3ch
	5 K—N4	R—R5ch
	6 K—B5	R—R4ch
	7 K—N6	....

Or 7 K—B6, B—K2ch; 8 K—K6, R—K4 mate.

	7	R—N4ch
	8 K—R6	B—B1ch
	9 K—R7	K—B2
	10 R—R1	B—N2
	11 any	R—R1 mate

257	1	QxN!
	2 PxQ	P—R7ch
	3 K—R1	NxP mate

258	1	Q—R5ch!

If now 2 K—K2, Q—B7ch; 3 K—Q3, N—N5 mate.

	2 NxQ	B—B7ch
	3 K—K2	N—Q5ch
	4 K—Q3	N—B4 mate

259	1	QxNch!
	2 KxQ	N—B3ch
	3 K—B4	B—K3ch
	4 K—N5	P—QR3ch
	5 K—R4	P—N4ch
	6 NxP	PxNch
	7 KxP	R—R4ch
	8 KxN	B—Q4ch
	9 K—Q6	N—K1 mate

260	1	QxBPch
	2 K—R1	Q—N8ch!
	3 NxQ	....

3 RxQ allows the same mate.

	3	N—B7 mate

261	1	QxPch!
	2 NxQ	NxBP mate

262	1	Q—B7ch!
	2 BxQ	N—Q7 mate

263	1	QxPch!
	2 KxQ	B—R6 mate

264	1	NxBPch
	2 K—N1	Q—N7ch!
	3 RxQ	N—R6ch
	4 K—R1	PxR mate

265	1	N—N5!
	2 QxQ	....

If 2 R—K1, Q—R7 mate or 2 QxN, R—B8 mate.

	2	R—B8 mate

266   1 ....   QxPch!
         2 PxQ   B—Q3ch
         3 Q—K5   BxQch
         4 K—R1   RxRP mate

267   1 ....   RxBch
         2 PxR   Q—R8ch!
         3 NxQ   R—N7 mate

268   1 ....   Q—R6!
         2 PxQ   NxP mate

269   1 ....   QxNch!
         2 KxQ   R—Q8 mate

·270   1 ....   QxRPch!
         2 KxQ   R—R4 mate

271   1 ....   QxPch!
         2 KxQ   R—R3 mate

272   1 ....   N—N6ch
         2 K—N1   QxNPch!
         3 RxQ   NxP mate
    (2 . . . NxRPch also does the
trick.)

273   1 ....   QxRch!
         2 KxQ   N—K7ch
         3 K—R1   N—B7 mate

274   1 ....   QxPch!
         2 KxQ   R—R5ch
         3 K—N1   R—R8ch
         4 NxR   PxR/Q mate

275   1 ....   QxRPch!
         2 KxQ   R—R4 mate

276   1 ....   Q—N7ch!
         2 RxQ   N—R6 mate

277   1 N—B4ch   K—B3
    If 1 . . . K—R3; 2 P—N5 mate.
         2 B—K4 mate

278   1 P—Q8 dbl ch!   KxQ
         2 N—N5 dis ch!   B—Q2
    If 2 . . . K—K1; 3 N—B7 mate;
or 2 . . . K—B1; 3 N—R7 mate.
         3 R/N7xBch   K—B1
         4 N—R7 mate

279   1 R—R3ch!!   PxRch
         2 K—B3   P—N5ch
         3 K—B4   P—N6
         4 PxP mate

280   1 RxRP dbl ch!   KxR
         2 R—R7 mate

281   1 RxBch!   PxR
         2 N—Q3ch!   PxN
         3 P—KB4 mate

282   1 R—B5ch!!   BxR
         2 N—B4 mate

283   1 R—KR5ch!   PxR
         2 N—B5 mate

284   1 B—K4!!   RxB
    If 1 . . . BxB; 2 P—KR3ch, K—
N6; 3 B—K1 mate.
         2 P—KR3ch   K—N6
         3 R—B3 mate

285   1 B—KN5ch   K—N3
         2 N/K2—B4 mate

286   1 RxPch!   KxR
    If 1 . . . K—R1; 2 R—R7ch, K—
N1; 3 R—N1ch followed by mate.
         2 R—N1ch   Q—N6
         3 RxQch   K—R1
         4 B—B6 mate

287   1 R—B7ch   K—R1
         2 R—R7ch!   KxR
         3 N—B6ch   K—R1
         4 RxR mate

288   1 RxPch!   PxR
         2 RxP mate

289   1 P—R5ch   K—R3
         2 N—B7 mate

290   1 R/K8xBch   NxR
         2 B—B7 mate

291   1 PxRch   KxN
    If 1 . . . K—B1; 2 B—KR6 mate;
if 1 . . . K—Q1; 2 P—B7 mate.
         2 B—B4 mate

292   1 R—R2ch   K—N8
         2 K—Q2 mate
    White also mates by castling on
his second move.

293   1 B—B4ch   K—K5
         2 B—B3 mate

294   1 R—R5ch!   NxR
         2 P—N5 mate

295   1 N—B7 mate

296   1 N—K6 mate

297   1 R—B6ch   KxN
      2 P—KN3   any
      3 P—KR4 mate

298   1 N—B7 dbl ch   K—N1
      2 R—R8ch!   NxR
      3 N—R6 mate

299   1 B—B5 mate

300   1 R—Q8ch   K—B2
      2 B—QB4ch   B—K3
Or 2 . . . Q—K3 with the same result.
      3 NxP mate

301   1 N—R5ch!   RxN
      2 RxNch!   KxR
      3 R—K6 mate

302   1 R—N8ch   K—K2
      2 B—B5ch   K—B2
      3 R—KB8 mate.

303   1 B—B5ch   K—B3
      2 N—Q8ch   K—Q3
      3 B—B4 mate

304   1 P—N7ch   KxP
      2 N—R5 dbl ch   K—R1
      3 RxP mate

305   1 N—Q6 mate

306   1 BxQP mate

307   1 N—N6ch!   PxN
   If 1 . . . K—N1; 2 R—K8ch, K—R2: 3 RxR mate.
      2 BxP   any
      3 R—K8 mate

308   1 N—B6ch!   PxN
      2 BxBP mate

309   1 BxPch   K—K2
      2 N—Q5 mate

310   1 P—R7ch   K—R1
      2 NxP mate

311   1 N—N6ch   K—N1
      2 N—K7ch   K—B1
   If 2 . . . K—R1; 3 RxPch!, KxR; 4 R—R3 mate.

      3 R—KB4ch   K—K1
      4 N—B6 dis ch   K—Q2
      5 R—K7ch   K—B1
      6 R—B8 mate

312   1 B—B2ch   K—K3
      2 RxPch   P—B3
      3 N—N5 mate

313   1 B—B7 dbl ch!   KxB
      2 R—N7ch   K—K3
      3 R—K7 mate

314   1 RxPch!   B—N2
   If 1 . . . BxR: 2 BxPch, R—K3; 3 BxRch, B—B2; 4 BxB mate.
      2 RxBch   K—B1
   If 2 . . . K—R1; 3 NxB mate.
      3 RxBch   K—N1
      4 R—N7ch   K—B1
      5 N—R7 mate

315   1 B—B7ch   K—K2
      2 N—B5 mate

316   1 R—Q6ch!   KxR
   If 1 . . . N—K3; 2 R/Q6xN mate.
      2 N—B7ch   K—B4
      3 P—N4 mate

317   1 R—R4ch!   PxR
      2 B—K3ch   K—R4
      3 R—N7   QxPch
White threatened B—K2ch followed by mate.
      4 RxQ   P—R6
      5 B—K2ch   K—R5
      6 R—N4ch   K—R4
      7 R—N5 dbl ch   K—R5
On 7 . . . K—R3 White also mates next move.
      8 R—R5 mate

318   1 K—R2!   P—K8/Q
   On 1 . . . P—N3 or . . . P—N4 White has 2 R—Q7 mate or 2 R—N7 mate.
      2 R—R8 mate

319   1 R—Q8ch   RxR
      2 RxR mate

320   1 N—B6ch   K—B1
      2 B—R6 mate

321   1 B—N5 mate

322   1 B—K5ch   K—R3

	2 N—B7ch	K—R4
	3 B—K2ch	K—R5
	4 B—N3ch	K—R6
	5 N—N5 mate	
323	1 R—N8ch!	RxR
	2 N—B7 mate	
324	1 N—B6ch!	any
	2 R—K8 mate	
325	1 R—R8ch	K—B2
	2 B—K8ch!	NxB
	3 K—N5	any
	4 R—B8 mate	
326	1 N—N6 dbl ch	K—B2
	2 NxR mate	
327	1 B—R6ch	K—N1
	2 R—K3	Q—B2

If 2 . . . QxN; 3 R—N3 mate.

	3 R—N3ch	....

Another way is 3 N—K7ch, QxN;
4 R—N3 mate.

	3	QxR
	4 N—K7 mate	
328	1 N—K7 dbl ch	K—R1
	2 NxP mate	
329	1 N—N6ch	K—N1
	2 N—K7ch	K—R1
	3 RxPch!	KxR
	4 R—R1 mate	
330	1 N—B6 dbl ch	K—Q1

If 1 . . . K—B1; 2 R—K8ch, K—
N2; 3 N—R5 mate.

	2 R—K8ch	K—B2
	3 B—B4ch	K—B3

If 3 . . . N—Q3; 4 BxNch, K—
B3; 5 PxP mate.

	4 RxBch	RxR
	5 PxPch	KxP
	6 N—Q7ch	KxP
	7 B—N2 mate	
331	1 N—B6 mate	
332	1 N—Q7ch	K—K1
	2 N—N8 dis ch	P—QB3

If 2 . . . K—B1 or . . . QxB or
. . . BxB; 3 R—Q8 mate.

	3 N—Q6ch	K—B1
	4 N—Q7 mate	
333	1 BxPch	K—K2
	2 B—N5 mate	

334	1 N—R6ch	K—B1
	2 NxP mate	
335	1 N—B8ch	K—N1
	2 N—N6 dis ch	R—B1
	3 RxRch	K—B2

Or 3 . . . K—R2; 4 R—KR8
mate.

	4 R—KB8 mate	
336	1 N—KB6ch	PxN
	2 BxP mate	
337	1 P—B8/Qch	BxQ
	2 R—B7ch	NxR
	3 R—K6 mate	
338	1 P—N8/Qch	NxQ
	2 R—Q8 mate	
339	1 P—B7ch	RxP
	2 R—R8 mate	
340	1 PxPch	K—Q2
	2 B—K6ch	K—B3
	3 N—K5ch	K—N4
	4 B—B4ch	K—R4
	5 B—N4ch	K—R5
	6 PxN mate	
341	1 N—R6	R—KB1
	2 R—N8ch!	RxR
	3 NxP mate	
342	1 N—N6ch	PxN
	2 R—KR1 mate	
343	1 N—R6ch!	PxN
	2 R—N4ch	K—R1
	3 RxR mate	
344	1 N—N5 dis ch	K—K1
	2 N—Q6 mate	
345	1 N—Q2!	P—Q3

If 1 . . . NxN; 2 R—N5 mate.

	2 NxN!	PxR

If 2 . . . NxN; 3 R—K8 mate.

	3 NxN mate	
346	1 B—N6!	....

Threatens B—R7 mate.

	1	BxB
	2 KxB	P—K8/Q
	3 P—B7 mate	
347	1 RxPch!	KxR

If 1 . . . K—R1; 2 R/R6xN mate.

2 N—B5 dbl ch K—N1
3 R—N6ch! PxR
4 N—R6 mate

348 1 N—B7 mate

349 1 BxP K—K2
2 N—Q5 mate

350 1 R—KN7 N moves
2 R—N8ch! RxR
3 N—B7 mate

351 1 B—N5ch! P—B3
2 R—K7 mate

352 1 N—N6ch! K—N1
If 1 . . . BPxN; 2 RxPch!, KxR;
3 R—R1 mate.
2 N—K7ch K—R1
3 RxPch! KxR
4 R—R1 mate

353 1 N—B6ch K—K1
2 N—B7 mate

354 1 R—K7 any
2 R—K8 mate

355 1 P—B7ch K—K2
2 B—N5 mate

356 1 N—N6ch PxN
If 1 . . . RxN; 2 RxR mate.
2 RxR mate

357 1 R—K7ch K—B1
2 RxR mate

358 1 R—N7 dis ch K—N1
2 RxRch N—B1
3 RxN mate

359 1 B—B5ch K—Q3
2 B—K7 mate

360 1 R—N8 dbl ch! KxR
2 R—KN1 mate

361 1 B—N5 mate

362 1 R—R7 dbl ch KxB
2 R—R8 mate

363 1 BxPch K—K2
2 B—N5ch K—Q3
3 N—N5ch! KxN
4 P—B4ch K—B4

5 N—Q4ch K—N5
6 P—R3ch K—N6
7 N—K2ch KxP
8 B—Q5ch N—K5
9 BxN mate

364 1 B—N5ch K—K2
2 N—Q5 mate

365 1 N—B6 dbl ch K moves
2 R—K8 mate

366 1 R—Q8ch R—K1
If 1 . . . K—N2; 2 N/R4—B5ch
and the mate is one move shorter.
2 RxRch K—N2
3 R—N8ch! KxN
4 N—B5ch K—R4
5 P—N4 mate

367 1 .... N/Q5—K7 mate

368 1 .... B—K6ch
If now 2 K—R1, B—N7 mate.
2 RxB R—Q8ch
3 R—K1 RxR mate

369 1 .... N—B1 mate
Any other Knight move serves
equally well.

370 1 .... NxP/B4ch
2 K—N4 P—KR4ch
3 K—R3 N—B7 mate

371 1 .... N—N8ch
2 KxP R—R2ch
3 Q—R6ch RxQ mate

372 1 .... RxPch!
2 PxR B—B6 mate

373 1 .... N—Q6
2 P—R7 N—B7 mate

374 1 .... R—B7ch
If now 2 K—Q1, N—N7 mate.
2 K—N1 R—K7 dis ch
3 K—B1 RxQ mate

375 1 .... R—Q8ch!
2 NxR B—R7 mate

376 1 .... BxPch
2 K—B1 N—N6 mate

377 1 .... P—B3ch
2 K—R4 B—B7ch
3 P—KN3 BxP mate

378	1	R—B5ch!!

If now 2 PxR, or 2 P—N4, B—B7 mate.

	2 BxR	B—K2ch
	3 B—N5	BxB mate

379	1	R—B4ch
	2 K—N4	P—KR4ch
	3 K—R3	R—B6 mate

380	1	B—N7ch
	2 K—N1	N—B6 mate

381	1	R—N7

Followed by:

	2	R—N8ch
	3 RxR	N—B7 mate

382	1	R—B5ch!

If now 2 PxR, R—N5 mate; or 2 P—KN4, RxP mate.

	2 K—N5	R—KN5 mate

383	1	N—R7 mate

384	1	N—Q7ch
	2 BxN	R—Q5 mate

385	1	BxPch
	2 K—K2	N—Q5 mate

386	1	RxPch!
	2 KxR	R—R5ch
	3 K—N2	B—R6ch
	4 K moves	BxR mate

387	1	R—Q7ch!
	2 NxR	N—Q5 dbl ch
	3 K—K1	N—B7 mate

(An alternative method is 1 . . . N—Q5 dbl ch; 2 K—Q2, N/B4—N6ch; 3 K—K1, N—B7 mate.)

388	1	P—R5ch!
	2 K—N4	P—B4ch!
	3 RxP	R—KN7 mate

389	1	R—R4ch!
	2 NxR	P—N4 mate

390	1	R—KN3ch
	2 QxR	R—Q8 mate

Black also mates with 1 . . . R—Q8ch or 1 .... NxPch etc.

391	1	RxPch!
	2 KxR	R—R3ch
	3 N—R4	P—N5ch

	4 K—R2	RxNch
	5 K—N1	R—R8 mate

392	1	B—B6 mate

393	1	R—K8ch
	2 R—KB1	N—R6ch
	3 PxN	R—KN3ch
	4 K—B2	....

Or 4 K—R1, RxR mate.

	4	R—K7 mate

394	1	N—Q2

Threatens . . . N—N3 mate.

	2 BxN	PxB
	3 any	N—N3 mate

395	1	R—B6 mate

396	1	BxNch
	2 RxB	R—N6 mate

397	1	R/K7—N7ch
	2 K—B4	R—R5 mate

398	1	K—R2
	2 B—K1	K—R3
	3 B—B3	K—R4
	4 B—K1	K—N5
	5 B—B3	PxPch
	6 RxPch	K—R6
	7 any	BxRch

(White can vary his play, but he cannot escape from the mating net.)

399	1	BxP dis ch
	2 K—B3	B—QN5ch
	3 K—N3	B—Q7 dis ch

If now 4 K—R2, B—B8, 5 P—QN4, RxP and 6 . . . R—N7 mate.

	4 K—R4	R—N5ch
	5 K—R5	N—Q5
	6 P—B5	NxPch
	7 K—R6	B—B1 mate

400	1	N—B6ch!
	2 PxN	....

If 2 K—R1, NxPch!; 3 RxN, R—Q8ch and mate next move.

	2	R—N3ch
	4 K—R1	NxPch!
	4 RxN	R—Q8ch
	5 R—B1	RxR mate

401	1	N—N6ch!
	2 RxN	RxNch!
	3 KxR	R—K8 mate

402   1 ....   RxNch!
If now 2 K—B2, N—N5 mate.
2 RxR   N—B7ch
3 K—B2   B—K6 mate

403   1 ....   R—B6ch!
2 KxN   K—B3!
3 P—Q6   B—B4ch
4 K—Q5   P—B3ch
5 K—B5   P—QN3 mate

404   1 ....   R—B7!!
If now 2 KxR, N—R6 mate; or
2 RxR, R—K8ch followed by 3
... N—R6 mate.
2 BxN   R—N7ch
3 K—R1   RxN dis ch
4 R—B3   BxR mate

405   1 ....   N—B6!
Black is helpless against:
2 ....   RxNch!
3 BxR   RxKRP mate

406   1 PxN   N—B6ch!
2 PxN   BxP
3 Q—R6   R—N7ch
4 K—R1   RxP dis ch
5 K—N1 R—N7 dbl ch
6 K—R1   R—R7 mate

407   1 ....   N—Q5ch
2 K—K3   N/K2—B4 mate

408   1 ....   B—B8 dis ch
2 K—R1   NxPch
3 K—N1   R—N7 mate

409   1 ....   BxPch!
2 NxB   R—B8ch!
3 NxR   RxN mate

410   1 ....   R—N1ch
2 K—R3   ....
If 2 K—R1, B—B6ch; 3 RxB,
R—N8 mate.
2 ....   B—N5ch
3 K—N2 B—K7 dis ch
4 K—R1   B—B6ch
5 RxB   R—N8 mate

411   1 ....   R—K2ch
2 K—Q5   B—K3ch
3 K—K4 B—B5 dis ch
4 K—B3   R—B2ch
5 K—K4   R—B5ch
6 K—K5   B—Q5 mate

412   1 ....   N—N6ch
2 PxN   R—R1ch
3 Q—R5   RxQ mate

413   1 ....   N—N8 mate

414   1 ....   N—B4ch
2 K—Q2   R—Q8ch
3 K—B2   N—K6 mate

415   1 ....   N—B5 mate

416   1 ....   R—N4 dis ch
2 K—R4   B—B7 mate

417   1 ....   R—N7 dbl ch
2 K—R1   R—N8 mate

418   1 ....   R—R8ch!
2 NxR   B—R7ch!
3 KxB   R—R1ch
4 K—N3   N—B4ch
5 K moves   R—R5 mate

419   1 ....   N—K7 dbl ch
2 K—B1   NxP mate

420   1 ....   R—K7ch
2 K—N1   R—K8ch
3 K—B2   R—B8 mate

421   1 ....   R—K8 mate

422   1 ....   P—KB4 mate

423   1 ....   N—Q5ch!
2 KxR   N—K6ch
3 K—B1   N—K7 mate

424   1 ....   P—B5ch
2 K—B2   N—K6 mate

425   1 ....   R—R5ch!
2 PxR   P—N5 mate

426   1 ....   B—K6 mate

427   1 Q—Q8ch   K—N2
2 RxPch!   PxR
3 P—R6ch!   KxP
4 Q—KR8ch   R—R2
5 QxR mate

428   1 Q—K8ch!   KxR
If 1 ... NxQ; 2 R—N8 mate.
2 Q—B7ch   K—R1
3 B—KR6   ....
And Black cannot stop mate.

429
1 QxPch!   KxQ
2 R—R5ch!   PxR
3 P—N5 mate

430
1 QxPch!   RxQ
2 R—K8 mate

431
1 N—Q6ch!   QxN
If either Knight captures, then 2 QxQ mate.
2 Q—N7 mate

432
1 RxRPch!   KxR
2 Q—R5ch   K—N1
3 Q—B7ch   K moves
4 QxP mate

433
1 P—B5ch!   PxP
If 1 . . . QxBP White mates the same way.
2 QxPch!!   PxQ
3 R/QR8—KN8 mate

434
1 RxPch!   KxR
2 Q—R5 mate

435
1 NxP   B—N1
2 N—R5!!   PxN
3 Q—B6 mate

436
1 R—R8ch!   KxR
2 Q—R7 mate

437
1 Q—R8ch!   KxN
2 R—K7ch!   NxR
3 Q—R7ch   K moves
4 QxN mate

438
1 N—R6ch   K—R1
2 NxRch   K—N1
3 RxP mate

439
1 N/B3—N5!   PxN
2 N—B6!   BxN
3 B—K4   . . . .
White mates next move.

440
1 BxPch!   KxB
2 RxPch!   KxR
If 2 . . . K—B3; 3 N—R5ch, K—N4; 4 Q—Q2ch, K moves; 5 Q—B4 mate.
3 P—B6 dis ch B—B4
4 BxBch   K—R1
5 Q—R5ch   N—R3
6 QxNch   K—N1
7 Q—R7 mate
(Or 7 Q—N7 mate.)

441
1 N—N5ch!   PxN
2 R—K7ch   K moves
3 QxNP mate

442
1 Q—R6   . . . .
Followed by Q—N7 mate.

443
1 Q—N7 mate

444
1 RxPch!   KxR
2 Q—R1ch   B—R6
3 QxBch   K—N2
4 B—R6ch   K—B3
If 4 . . . K—R1; 5 BxR mate.
5 Q—R4ch   K—K4
6 QxNch   K—B4
7 Q—KB4 mate

445
1 RxPch!   KxR
2 QxP mate

446
1 NxPch!   PxN
2 Q—R6 mate

447
1 R—KN7ch! KxR
2 Q—R7 mate

448
1 RxPch!   K—R1
If 1 . . . PxR; 2 Q—R8 mate.
2 R—N7   . . . .
And Black must succumb to QxP mate.

449
1 R—R8ch!   KxR
2 Q—R5ch   K—N1
3 P—N6   R—B4
4 Q—R7ch   K—B1
5 Q—R8 mate

450
1 RxNch!   KxR
2 Q—B5ch   K—R1
3 Q—R5ch   K—N2
4 Q—N6ch   K—R1
5 Q—R6 mate

451
1 Q—R6 mate

452
1 R—K8ch   K—R2
2 R—KR8ch! KxR
3 Q—R6ch   any
4 QxNP mate

453
1 Q—N6!   . . . .
Threatens 2 QxNP mate. If 1 . . . B—N4; 2 RxB!, PxR; 3 P—B6! forces mate.
1 . . . .   BxR
2 P—B6!   any
3 QxNP mate

454	1 Q—N8ch	K—K2
	2 Q—K6ch	K—B1
	3 Q—Q6 mate	

455	1 QxRPch	K—B1
	2 Q—R8ch	K—K2
	3 QxPch	K—B1
	4 Q—R6ch	K—N1

If 4 . . . K—K2; 5 Q—Q6 mate.

	5 B—R7ch	K—R1
	6 B—N6 dis ch	K—N1
	7 Q—R7ch	K—B1
	8 QxP mate	

456	1 R—KR5!	PxR
	2 Q—B6 mate	

457	1 N—K7ch	K—R1
	2 QxPch!	KxQ
	3 R—R4 mate	

458	1 R—B8ch!	QxR
	2 RxQch	RxR
	3 QxP mate	

459	1 N—K7 mate	

460	1 R—R8ch!	KxR
	2 R—B8ch	K—R2
	3 Q—R3 mate	

461	1 Q—Q2ch	Q—K6
	2 QxQ mate	

462	1 B—R7ch	K—R1
	2 NxPch!	RxN
	3 N—N6ch!	KxB
	4 N—B8 dbl ch	K—N1
	5 Q—R7ch!	KxN
	6 Q—R8 mate	

463	1 R—R8ch!	KxR
	2 Q—R6ch	K—N1
	3 Q—R7 mate	

464	1 RxPch!	KxR
	2 Q—B7ch!	R—N2
	3 R—R1ch	Q—R3
	4 RxQch	KxR
	5 Q—R5 mate	

465	1 Q—B5ch	K—N1

If 1 . . . K—R1; 2 RxRch, RxR; 3 QxRch, K—R2; 4 Q—B5ch, P—N3; 5 Q—B7ch and mate next move.

	2 RxRch	RxR
	3 QxRch!	KxQ
	4 R—K8 mate	

466	1 QxPch!	BxQ
	2 B—N7ch	K—R4
	3 P—N4 mate	

467	1 Q—R7ch	K—B1
	2 B—R6ch	B—N2

Or 2 . . . Q—N2; 3 QxB mate.

	3 Q—R8 mate	

468	1 QxQch	RxQ
	2 R—N8 mate	

469	1 N—B5ch	K—R4
	2 Q—R4 mate	

470	1 Q—N7ch	QxQ
	2 PxQ mate	

471	1 N—N5ch	K—N1
	2 QxP mate	

472	1 P—R6ch	K—N1

After 1 . . K—R1 White wins the same way.

	2 Q—B6	any
	3 Q—N7 mate	

473	1 RxRch	KxR
	2 R—K7ch	K—R3
	3 Q—B4ch	P—N4
	4 Q—B8ch	K—N3
	5 Q—N7 mate	

474	1 R—N7ch!	BxR
	2 N—K7 mate	

475	1 Q—R6ch	K—B3
	2 R—KB5ch!	KxR
	3 Q—B4 mate	

476	1 R—R8ch!	KxR
	2 Q—R7 mate	

477	1 N—B5ch	K—R1
	2 QxNP!	PxQ
	3 R—R3ch	N—R3
	4 RxN mate	

478	1 Q—Q7!	RxQ
	2 R—R8 mate	

479	1 B—B7ch!	RxB
	2 Q—N6ch	K—B1
	3 QxR mate	

480	1 Q—N6ch	K—B1

Or 1 . . . K—R1; 2 Q—N7 mate.

	2 B—B5 mate	

481　1 RxPch!　　　· KxR
Now White can force mate begin-
ning with 2 R—R1 or 2 K—N3 or
2 K—N2 or the move actuallly
selected.
　　2 R—Q3　　　P—N4
　　3 R—R3ch　　B—R4
　　4 RxBch　　　K—N3
　　5 P—B5 mate
(Or 5 Q—B5 mate.)

482　1 RxNch!　　　KxR
　　2 Q—R6　　　Q—B1
　　3 RxPch!　　　PxR
　　4 QxPch　　　K—R1
　　4 Q—R7 mate

483　1 RxPch!　　　RxR
　　2 Q—B7ch　　K—R1
　　3 Q—B8ch　　R—N1
　　4 RxR mate
(Or 4 QxR mate.)

484　1 N—B5ch!　　K—N1
If 1 . . . PxN; 2 Q—N5 mate.
　　2 Q—R6　　　N—R4
　　3 Q—N7ch!　　NxQ
　　4 N—R6 mate

485　1 RxPch　　　K—B1
　　2 RxPch!　　　KxR
　　3 QxPch　　　K—B1
　　4 Q—K7ch　　K—N1
　　5 Q—N7 mate

486　1 Q—R8ch　　K—K2
　　2 QxP mate

487　1 R—N8ch!　　QxR
　　2 QxPch　　　Q—R2
　　3 QxQ mate

488　1 R—B8ch!!　　BxR
If 1 . . . K—B2; 2 Q—B7ch
and mate next move.
　　2 Q—K8ch　　R—B1
　　3 RxPch!!　　KxR
If 3 . . . K—R1; 4 R—R7ch, K—
N1; 5 Q—N6 mate.
　　4 Q—N6ch　　K—R1
　　5 Q—R7 mate

489　1 QxP mate

490　1 B—R6ch　　K—N1
If 1 . . . K—B3; 2 Q—N5 mate.
　　2 Q—N5ch!　　QxQ
　　3 R—K8ch　　B—B1
　　4 RxB mate

491　1 Q—K8ch　　B—B1
　　2 N—B6ch　　K—N2
　　3 N—R5ch　　K—N1
　　4 B—R7ch!　　KxB
　　5 QxPch　　　K—R1
　　6 QxBch　　　K—R2
　　7 Q—N7 mate

492　1 QxPch!　　　QxQ
　　2 RxRch　　　B—N1
　　3 RxB mate

493　1 Q—R2　　　any
　　2 Q—R8 mate

494　1 N—KN6ch　K—N1
　　2 NxKBPch!　QxN
　　3 Q—B8 mate

495　1 R—N8ch!　　KxR
　　2 Q—N7 mate
(Or 2 Q—R8 mate.)

496　1 BxPch!　　　KxB
　　2 N—N5ch　K moves
　　3 Q—K6 mate

497　1 RxBch!　　　KxR
　　2 B—R6ch!　　KxB
　　3 Q—N5 mate

498　1 RxPch!　　　KxR
　　2 R—Q3!　　　K—R4
If 2 . . . QxQ; 3 R—R3 mate.
　　3 Q—B7ch　　P—N3
　　4 Q—R7ch　　K—N5
　　5 Q—R3 mate

499　1 N—B6ch!　　PxN
If 1 . . . K—B1; 2 N/N5—R7
mate.
　　2 Q—R7ch　　K—B1
　　3 NxKPch!　　PxN
　　4 B—R6 mate

500　1 R—KR8ch!　KxR
　　2 Q—R6ch　　K—N1
　　3 QxP/N7 mate

501　1 B—B6ch　　NxB
　　2 PxN mate

502　1 RxPch!　　　K—B1
If 1 . . . K—R1; 2 RxRP dbl ch,
K—N1; 3 R—R8 mate.
　　2 R—N8ch!　　KxR
　　3 R—N1ch　　K—B1
　　4 B—N7ch!　　K—N1

5 B—B6 dis ch   K—B1
6 R—N8ch!   KxR
7 Q—N2ch   K—B1
8 Q—N7 mate

503 1 N—R5!   PxN
If 1 . . . B—B1; 2 NxPch and
3 QxRP mate.
2 BxPch   K—R1
3 B—N6 dis ch   K—N1
4 Q—R7ch   K—B1
5 B—R6ch   K—K2
6 QxPch   K—Q1
7 QxR mate

504 1 RxNch   ....
Another way is 1 N—R7ch etc.
1 ....   RxR
2 N—R7 mate

505 1 Q—R8ch   K—K2
2 N—N6ch!   PxN
3 QxP mate

506 1 R—R8ch   KxR
2 QxRch   R—N1
3 Q—R6 mate

507 1 N—N4ch   K—R4
2 R—R7ch   KxN
If 2 . . . B—R3; 3 Q—N5 mate.
3 Q—Q7 mate

508 1 R—Q8ch!   QxR
If 1 . . . B—B1; 2 RxBch forces
mate.
2 P—K7 dis ch   Q—Q4
3 P—K8/Qch   B—B1
4 Q—R8ch   KxQ
5 QxBch   Q—N1
6 QxQ mate

509 1 N—N6ch!   PxN
2 Q—R3 mate

510 1 N—K7ch!   QxN
2 R—R8ch!   KxR
If 2 . . . K—B2; 3 B—N6ch!,
KxB; 4 Q—R5 mate.
3 Q—R5ch   K—N1
4 Q—R7ch   K—B2
5 B—N6 mate

511 1 Q—R5!   PxQ
2 BxP mate

512 1 QxPch!   QxQ
2 RxQch   KxR

3 R—R1ch   B—R7
4 RxBch   K—N2
5 B—R6ch   K—R2
6 BxR mate

513 1 QxN   PxN
2 N—B6ch   K—R1
3 Q—R7 mate

514 1 B—R6ch!   KxN
2 Q—N4 mate

515 1 RxPch!   KxR
2 Q—R7ch   K—B1
3 R—KB1ch   Q—B3
4 RxQ mate

516 1 NxNP!   PxN
2 Q—B5   N—B3
3 Q—Q6ch   Q—B2
4 R—R8 mate

517 1 N—N6ch!   PxN
2 R—R5ch!   PxR
3 QxRP mate

518 1 BxPch!   PxB
2 QxRch!   KxQ
3 R—B8ch   B—Q1
4 RxB mate

519 1 NxPch!   BxN
2 QxQch   PxQ
3 B—QR6 mate

520 1 RxPch!   KxR
2 R—R7ch   K—B3
If 2 . . . K—B1; 3 N—K6 mate.
3 Q—B4 mate

521 1 BxPch   RxB
If 1 . . . K—R1; 2 N—N6ch,
PxN; 3 Q—R3 mate.
2 QxRch   K—R1
3 Q—K8ch   B—B1
4 QxB mate

522 1 QxBch   PxQ
If 1 . . . KxQ; 2 R—KR4 mate.
2 R—N7ch   K—R1
3 B—N8!   RxB
4 RxRch   K—R2
5 R/N1—N7 mate

523 1 QxRPch   K—N1
2 Q—N5ch   K moves
3 R—R6 mate

524	1 B—R6!!	NxQ
	2 BxPch	K—N1
	3 BxN dis ch	B—N4
	4 RxB mate	

525	1 N—K7ch	NxN
	2 BxPch	QxB
	3 QxQ mate	

526	1 B—N7ch!	RxB
	2 R—B8ch	Q—Q1
	3 RxQch	R—N1
	4 Q—N4	BxN
	5 RxR mate	

(Or 5 QxR mate.)

527	1 N—N5ch	K—R3

If 1 . . . K—N1; 2 Q—R3 is decisive.

	2 P—B4!	BxP
	3 Q—R3ch	K—N2
	4 Q—R7ch	K—B3
	5 QxBPch!	RxQ
	6 RxR mate	

528	1 B—R7ch	K—R1
	2 B—N8 dis ch	any
	3 Q—R7 mate	

529	1 Q—R8 mate	

530	1 RxPch!	NxR
	2 Q—KB7ch	K—R1
	3 Q—B8ch!	RxQ
	4 RxR mate	

531	1 Q—N4!	P—KN3
	2 Q—Q4!	....

Followed by Q—N7 mate or Q—R8 mate.

532	1 N—K8ch!	K—N1

If 1 . . . RxN; 2 Q—B6ch forces mate.

	2 RxRch	KxR
	3 Q—B8ch	....

Another way is 3 Q—B6ch etc.

	3	K—R2
	4 Q—N7 mate	

(Or 4 N—B6 mate.)

533	1 R—N4ch!	PxR

If 1 . . . K—R2; 2 Q—N6ch, K—R1; 3 QxRP mate.

	2 Q—N6ch	K—R1
	3 Q—R7 mate	

534	1 RxPch!	PxR

	2 N—B6ch	K—R1
	3 R—N7!	KxR
	4 N—K8 dbl ch	K—N3
	5 Q—B6ch	K—R4
	6 N—N7 mate	

535	1 RxPch!	PxR
	2 P—Q5 dis ch	K—N1

If 2 . . . N—B3 or . . . N—K4; 3 QxNch and White mates quickly.

	3 P—Q6 dis ch	K—B1
	4 Q—R8 mate	

536	1 RxNch!	KxR

If 1 . . . QxR; 2 B—R7ch, K—R1; 3 B—N6 dis ch, K—N1; 4 Q—R7 mate.

	2 Q—R8ch	K—B2
	3 B—N6ch!	K—K3
	4 Q—KN8ch	K—Q2
	5 B—B5ch	Q—K3
	6 QxQch	K—Q1
	7 Q—Q7 mate	

537	1 R—N8ch!	NxR
	2 Q—N7 mate	

(Or 1 RxPch forcing mate.)

538	1 R—N3	P—N3

If 1 . . . QxR; 2 QxQ, P—KN3; 3 R—R3 and mate next move.

	2 RxNPch!	PxR
	3 QxNPch	K—R1
	4 R—R3ch	Q—R2
	5 QxQ mate	

(Or 5 RxQ mate.)

539	1 R—K8ch!	any
	2 QxBch	....

And White forces mate.

540	1 R—QB1ch	K—N1
	2 Q—N4ch	K—R1
	3 B—B3ch!	RxB
	4 Q—K4ch!	QxQ
	5 R—B8 mate	

541	1 Q—R6ch	K—N1
	2 N—B6 mate	

542	1 Q—B6 mate	

543	1 Q—B5ch	K—N1
	2 Q—N6ch	B—N2
	3 QxB mate	

544	1 RxPch!	KxR
	2 R—K7ch	K—N1

If 2 . . . K—B3; 3 Q—R4ch, K—

N3; 4 Q—N3ch, K—R4; 5 R—KN7 followed by mate.

```
      3  QxP           B—KN8ch
      4  K—R1          B—Q5
      5  PxB           QxP
      6  Q—N5ch        K—R1
      7  Q—R4ch        K—N1
      8  Q—N3ch        K—R1
      9  B—B3          QxB
     10  QxQch         P—Q5
     11  QxQPch        R—B3
     12  QxRch         K—N1
     13  Q—N7 mate
```

545
```
      1  NxPch         K—Q2
      2  B—QN5 mate
```

546
```
      1  Q—K7!         Q—B2
```
If 1 . . . RxQ; 2 R—B8 mate.
```
      2  Q—B8ch!       RxQ
      3  RxR mate
```

547
```
      1  QxQBPch!      PxQ
      2  B—R6 mate
```

548
```
      1  RxP!          KxR
```
If 1 . . . NxR; 2 QxP mate.
```
      2  R—N1ch        K—R2
      3  B—Q3ch        P—B4
      4  R—N6          any
      5  QxP mate
```

549
```
      1  R—R7ch!       K—N1
```
If 1 . . . KxR; 2 Q—K7ch, R—B2; 3 QxRch, K moves; 4 Q—N7 mate.
```
      2  Q—K6ch        KxR
      3  Q—K7ch        R—B2
      4  QxRch         K moves
      5  Q—N7 mate
```

550
```
      1  BxRPch!       K—R1
```
If 1 . . . KxB; 2 BxP dis ch, K—N1; 3 Q—R8ch, K—B2; 4 QxR mate.
```
      2  N—N6ch        KxB
```
Now any Bishop move forces mate. For example:
```
      3  BxP dis ch!   KxB
      4  N—R8 dis ch!  K—B3
      5  Q—N5 mate
```

551
```
      1  R—B7ch        K—N3
      2  R—N7ch        K—B4
      3  R—B1ch        K—K5
      4  B—B6 dis ch   K—K6
      5  Q—Q3 mate
```

552
```
      1  Q—K6ch        K—R2
      2  RxPch!        PxR
      3  Q—B7 mate
```

553
```
      1  Q—KB8ch!      Q—N1
      2  Q—B6ch        Q—N2
      3  QxQ mate
```

554
```
      1  N—B5ch!       PxN
```
If 1 . . . K—B1; 2 Q—N8ch forcing mate.
```
      2  R—N3ch        K—B1
```
Other King moves lose at once.
```
      3  R—N8ch!       KxR
      4  Q—K8ch        K—N2
      5  QxPch         K—R3
```
If 5 . . . K—R1; 6 Q—N8 mate or 6 Q—B8 mate.
```
      6  QxB mate
```

555
```
      1  RxB           RxR
      2  QxPch         R—R2
      3  QxR/B8 mate
```

556
```
      1  RxBch!        any
      2  Q—N7 mate
```

557
```
      1  RxPch!        KxR
```
If 1 . . . RxR; 2 Q—K8 mate.
```
      2  Q—N5ch        K—R1
```
After 2 . . . K—B1 we reach the same position.
```
      3  Q—Q8ch        K—N2
      4  N—K6ch        K moves
      5  Q—N5 mate
```

558
```
      1  N—K7!         Q—K3
```
If 1 . . . BxN; 2 Q—N8 mate; or 1 . . . RxR; 2 Q—N8 mate.
```
      2  RxQ           PxR
      3  NxPch         K—K1
      4  Q—N8 mate
```

559
```
      1  QxN!          BxN
```
If 1 . . . PxQ; 2 BxP mate.
```
      2  QxRPch!       KxQ
      3  RPxB dis ch   K—N1
      4  R—R8 mate
```

560
```
      1  R—K8!         QxR
```
If 1 . . . RxR/K1; 2 Q—N7 mate.
```
      2  Q—B6ch        R—N2
      3  QxR mate
```

561
```
      1  R—K8ch        N—B1
      2  N—R6ch!       QxN
```
If 2 . . . K—R1; 3 RxN mate.

```
              3 RxNch!        KxR          571   1 ....         R—B7ch
              4 Q—Q8 mate                        2 K—N1         Q—K8 mate

562   1 RxQNP dis ch   QxQ          572   1 ....         Q—B6 mate
      2 RxRch          Q—R5              (Or 1 . . . Q—N8 mate.)
      3 RxQ mate
                                    573   1 ....         B—R6ch!
563   1 Q—K6!          NxQ                If now 2 K—N1, Q—N4ch fol-
      2 N—N6ch!        PxN                lowed by mate.
      3 R—R3ch         K—N1               2 KxB          QxBPch
      4 BxNch          K—B1               3 K—R4         P—N4ch
      5 R—R8 mate                         4 KxP          K—R1
                                          5 K—R4         R—KN1
564   1 RxPch!         NxR                6 P—R3         Q—B5ch
      If 1 . . . K—R1; 2 RxPch!, KxR;     7 K—R5         Q—N4 mate
      3 Q—R3ch, K—N1; 4 R—N1ch,
      N—N2; 5 RxN mate.              574   1 ....         R—KR3ch
      2 N—R6ch         K—R1               2 K—N1         R—R8ch!
      3 N/K5xPch       RxN                3 KxR          Q—R6ch
      4 NxRch          K—N1               4 K—N1         QxP/N7 mate
      5 N—R6 dbl ch    K—R1
      6 Q—N8ch         RxQ          575   1 ....         R—R8ch!
      7 N—B7 mate                         2 KxR          Q—R3ch
                                          3 K—N1         Q—R7 mate
565   1 ....           QxRPch
      2 KxN            Q—R6 mate    576   1 ....         QxRPch!
                                          2 KxQ          R—R3ch
566   1 ....           NxPch!             3 K—N3         R—R6 mate
      2 PxN            Q—R3ch
      3 B—R3           QxB mate     577   1 ....         N—R7ch!
                                          2 BxN          Q—N5 mate
567   1 ....           N—N6ch!
      2 PxN            Q—R3 mate    578   1 ....         RxPch!
                                          2 any          QxRP mate
568   1 ....           RxPch!
      2 KxR            Q—R6ch       579   1 ....         RxRch
      3 K—B2           Q—R7ch             2 QxR          QxNP mate
      4 K—B3           R—KB1ch
      5 Q—B7           RxQ mate     580   1 ....         Q—N5ch
                                          2 K—B2         Q—N7ch
569   1 ....           R—B8ch!            3 K—K1         Q—B8 mate
      If now 2 RxR, QxRch; 3 K—R1,
      Q—K5ch; 4 R—B3, QxRch and     581   1 ....         R/B8xRch
      mate next move.                     2 KxR          Q—K8 mate
      2 KxR            Q—B3ch
      3 R—B3           QxRch        582   1 ....         Q—N6ch
      4 K—N1           Q—B7ch             Black can also mate beginning
      5 K—R1           Q—N7 mate          with 1 . . . Q—N5ch or . . . Q—
      (Or 5 . . . Q—R7 mate.)             N4ch.
                                          2 K—R1         Q—N7 mate
570   1 ....           R—Q8ch
      2 K—R2           R/B4—B8      583   1 ....         N—R6 mate
      3 Q—K1           RxQ
      4 B—B4           R—R8ch       584   1 ....         RxBch!
      5 K—N3           R—R6ch!            2 KxR          Q—N6ch
      6 PxR            R—KN8ch            3 K—R1         Q—R6 mate
      7 K—R2           R—KR8ch
      8 K—N3           RxP mate     585   1 ....         N—N6 mate
```

586 1 ....   RxPch!
If now 2 K—R1, QxP mate.
2 BxR   QxB mate

587 1 ....   B—R7ch!
2 KxB   Q—B2ch
(Or 2 . . . Q—N1ch.)
3 B—B4   QxBch
4 K—N1   Q—N6 mate

588 1 ....   QxRPch!
2 NxQ   P—N5
3 K—N1   RxN
Followed by . . . R—R8 mate.

589 1 ....   NxPch!
2 NxN   N—N6 mate

590 1 ....   R—K7!
2 RxR   QxR mate

591 1 ....   B—KR6!
2 PxB   Q—B6 mate.

592 1 ....   R—B7ch!
If 2 K—K1, QxNch; 3 B—B1,
QxB mate.
2 BxR   B—R6ch
3 K—K1   PxBch
4 KxP   Q—N7ch
5 K—K1   Q—N6 mate

593 1 ....   QxNch!
2 RxQ   R—N8 mate

594 1 ....   R—R8ch!
2 BxR   ....
If 2 K—N2, R/QR8—KN8 mate.
2 ....   QxBPch
3 B—N2   Q—N8 mate

595 1 ....   Q—N6!
2 PxN   Q—R5 mate

596 1 ....   Q—B7ch
2 K—R1   Q—R5
3 P—R3   Q—N6
4 PxN   R—B7
5 R—N1   Q—R5 mate

597 1 ....   R—K8ch!
If now 2 QxR, QxN mate.
2 NxR   Q—R8 mate

598 1 ....   RxRch
2 NxR   Q—B8 mate

599 1 ....   Q—B8ch

2 R—N1   N—N6ch
3 PxN   Q—R6 mate

600 1 ....   R—B7
2 R—N1   R/B1—B6!
And White is helpless against 3
. . . QxRPch!; 4 PxQ, RxRP mate.

601 1 ....   N—K7ch
2 K—R1   RxBch!
3 RxR   N—N6 mate

602 1 ....   QxBPch!
2 RxQ   RxRch
3 K—R1   N—N6 mate

603 1 ....   N—B6 mate

604 1 ....   Q—K6ch
2 K—B1   B—R7!
Followed by . . . Q—N8 mate.

605 1 ....   RxRPch!
2 PxR   QxRP mate

606 1 ....   RxRPch!
2 KxR   Q—R5ch
If now 3 R—KR3, QxR mate.
3 K—N2   B—R6ch!
4 K—R2   ....
Or 4 RxB, RxPch; 5 K—R1,
QxR mate.
4 ....   B—B8 dis ch
5 R—R3   QxR mate

607 1 ....   R—R6ch!
2 RxR   Q—N7 mate

608 1 ....   RxBPch!
If now 2 NxR or 2 RxR, Q—N6
mate. If 2 QxR, QxPch; 3 K—N1,
Q—R8 mate.
2 K—N1   Q—N6ch
3 Q—N2   QxQ mate

609 1 ....   RxPch!
2 PxR   Q—R7 mate

610 1 ....   Q—B5ch
If now 2 K—N1, Q—N6ch forces
mate.
2 B—N3   B—N8ch!
3 QxB   ....
If 3 KxB, QxBch forces mate.
3 ....   N—N5ch!
4 PxN   Q—R3ch
5 B—R4   QxB mate

611	1	N/K5xBch
	2 BPxN	RxPch!
	3 KxR	Q—R2 mate
612	1	BxPch!
	2 KxB	....

If 2 K—N1, B—R7ch; 3 K—B2,
Q—R5 mate—or 3 KxB, Q—K4ch
mating as in the main line.

	2	Q—K4ch
	3 K—N1	Q—N6ch
	4 Q—N2	QxQ mate
613	1	R—N8ch!
	2 any	Q—QB6ch
	3 R—QN2	QxR mate
614	1	R—B8ch!
	2 BxR	QxKPch
	3 B—N2	Q—N8ch
	4 Q interposes	QxQch
	5 B—B1	QxB mate
615	1	RxP!
	2 KxR	R—R1ch
	3 K—N1	QxNch!
	4 PxQ	N—B6 dbl ch
	5 K—N2	R—R7 mate
616	1	R—N8ch!
	2 NxR	Q—N7 mate
617	1	N—N5ch
	2 K—R3	N—B5 mate
618	1	NxPch!
	2 PxN	Q—R6ch
	3 Q—R2	BxNch
	4 K—N1	R—B8 mate
619	1	R—K8ch!

If now 2 RxR, Q—R8 mate.

	2 QxR	Q—N7 mate
620	1	N—K7ch
	2 K—R1	RxPch!
	3 KxR	R—R1ch
	4 B—R6	Q—R5 mate
621	1	BxPch!

If now 2 K—R1, N—N6ch!; 3
PxN, Q—R3 (or ... Q—R4) mate.

	2 RxB	Q—B8ch
	3 R—B1	Q—K6ch

And now if 4 R—B2, QxRch; 5
K—R1, Q—B8 (or ... Q—K8)
mate.

	4 K—R1	N—B7ch

	5 K—N1	....

Or 5 RxN, Q—K8ch; 6 R—B1,
QxR mate.

	5	N—R6 dbl ch
	6 K—R1	Q—N8ch
	7 RxQ	N—B7 mate
622	1	Q—N6ch!
	2 PxQ	PxP mate
623	1	QxNPch!
	2 QxQ	N—N6ch!
	3 PxN	R—KR1 mate
624	1	Q—R4
	2 N—Q1	Q—R6
	3 N—K3	N—N5
	4 KR—K1	QxRPch
	5 K—B1	Q—R8 mate
625	1	RxKRPch!
	2 KxR	Q—KN7 mate
626	1	Q—K8ch
	2 B—N1	N—B7ch
	3 K—N2	Q—K5ch
	4 K—B1	Q—Q6ch
	5 K—N2	Q—B6ch
	6 K—B1	N—K5 dis ch
	7 K—K1	Q—B8 mate
627	1	N—K7ch!
	2 RxN	R—B8ch!
	3 KxR	Q—R8ch
	4 K—B2	N—N5 mate
628	1	RxPch!
	2 KxR	R—B7ch

If now 3 K—N3, Q—B6 mate.

	3 K—N2	Q—B7 mate
629	1	P—B7ch!
	2 KxP	....

Or 2 QxP, Q—R8 mate.

	2	Q—N7ch
	3 K—K3	Q—B6 mate
630	1	BxPch
	2 RxB	Q—Q8ch
	3 R—B1	R—R8ch
	4 KxR	QxR mate
631	1	RxRPch!
	2 KxR	Q—N5ch
	3 K—R2	Q—R5 mate

(Or 3 ... Q—R4 mate.)

632	1	RxRP!
	2 KxR	R—B3
	3 Q—B1	R—R3ch
	4 Q—R3	RxQch
	5 KxR	Q—R4 mate

633	1	N—KB6ch
	2 K—R1	NxP mate

634	1	R—Q8ch
	2 K—B2	R—Q7ch!

If now 3 KxR, QxPch; 4 K—K1,
Q—B8 mate.

	3 K—N3	RxNPch
	4 K—R4	B—Q8 mate

635	1	BxPch

If now 2 RxB, Q—K8ch and
mate next move.

	2 K—N1	B—Q5 dis ch

Also possible is . . . B—R8 dis ch
or . . . B—K4 dis ch.

	3 R—QN2	Q—K8ch
	4 K—B2	RxR mate

636	1	R—R8ch!
	2 K—N2	Q—N4ch
	3 KxR	Q—R5ch
	4 K—N2	QxPch
	5 K—R1	....

If 5 K—R3, Q—N6 mate.

	5	Q—R5ch
	6 K—N2	Q—N6ch
	7 K—R1	Q—R6 mate

637	1	RxPch!

Either Black Rook can capture.

	2 PxR	RxP mate

638	1	B—N8ch!

If now 2 RxB, Q—B7ch forces
mate.

	2 K—R1	R—N6
	3 QxR	QxQ
	4 R—B2	....

Or 4 RxB, QxRP mate.

	4	QxR
	5 any	Q—R7 mate

639	1	RxPch!
	2 KxR	Q—B7ch
	3 K—R3	....

If 3 R—N2 (or 3 K—R1), R—
R1ch; 4 R—KR5, RxRch etc.

	3	R—KR1ch
	4 R—KR5	RxRch
	5 K—N4	Q—R5 mate

640	1	Q—R4
	2 B—K2	N—N5
	3 P—KR4	QxRP!
	4 PxQ	B—R7 mate

641	1	RxBP

Black forces checkmate.

642	1	QxRPch!
	2 KxN	RxBch!

If now 3 KxP, Q—R3 (or . . .
B—R3) mate.

	3 PxR	Q—R5 mate

643	1 Q—B7ch	K—Q1
	2 Q—Q7 mate	

644	1 R—R5ch!	RxR
	2 P—N5ch	RxPch
	3 PxRch	K—R4
	4 R—R2ch	K—N5

If 4 . . . N—R5; 5 Q—R6ch
forces mate.

	5 R—N2ch	K—R5
	6 Q—B2ch	K—R4
	7 Q—B3ch	K—R5
	8 R—R2ch	KxP
	3 R—R5 mate	

645	1 R—K8ch!	NxR
	2 Q—B8 mate	

646	1 P—Q7ch	any
	2 Q—B8 mate	

647	1 Q—K7ch!	Q—N4

If 1 . . . P—N4; 2 Q—K1ch and
mate next move.

	2 Q—K4ch!	Q—N5
	3 Q—K3!	....

Forces mate, for example 3 . . .
Q—N4; 4 Q—KR3 mate. Or 3 . . .
Q—B4; 4 Q—KN3 mate. If 3 . . .
P—N4; 4 Q—K1ch leads to mate.

648	1 KR—K1ch	K—Q5

If 1 . . . K—B6; 2 R—K3ch,
BxR; 3 QxB mate.

	2 Q—K3ch!	KxB
	3 Q—QN3ch	K—Q5
	4 QR—Q1 mate	

649	1 B—B4 mate	

650	1 QxBch!	PxQ
	2 N—N6ch!	PxN
	3 BxP mate	

651	1 B—B6ch!	QxB
	2 QxR mate	

652	1 Q—R4ch	KxP
	2 Q—R5ch	K—B3
	3 B—N5ch	K—K4
	4 B—K7	P—QB5
	5 R—K1ch	Q—K6
	6 RxQ mate	

653	1 R—R5ch	K—N2
	2 RxNP mate	

654	1 NxPch!	NxN
	2 N—N6 mate	

655	1 QxNch	QxQ
	2 B—B7 mate	

656	1 NxP mate	

657	1 RxPch!	BxR
	2 Q—N5ch	K moves
	3 Q—K5 mate	

658	1 Q—R5ch	P—N3
	2 B—B7ch	K—K2
	3 N—Q5ch	K—Q3
	4 N—QB4ch	K—B3
	5 N—N4ch	K—N4
	6 P—R4ch	KxN
	7 P—B3ch	K—N6
	8 Q—Q1 mate	

659	1 QR—Q1!	BxQ
	2 R—Q3 mate	

660	1 Q—R7ch	K—N5
	2 Q—R3 mate	
	(1 P—KN4ch also forces mate.)	

661	1 Q—N5 mate	

662	1 Q—Q5	P—K3
	2 QxKP	PxQ
	3 BxPch	Q—B2
	4 RxB	QxB
	5 R—B8 mate	

663	1 Q—B3 mate	

664	1 B—R5ch	KxP
	If 1 . . . K—R2; 2 P—N6 mate.	
	2 QR—N1ch	K—B5
	3 N—K2 mate	

665	1 B—K7ch	K—K1
	2 B—B6 dis ch	K—B1

	3 Q—K7ch	K—N1
	4 QxB mate	

666	1 RxNch!	PxR
	2 Q—B6 mate	

667	1 R—B8ch!	KxR
	2 Q—B7 mate	

668	1 Q—Q6	Q—Q1
	2 R—N8!	B—K1
	3 RxB!	QxR
	4 Q—B7 mate	

669	1 R—B8ch!	BxR
	2 Q—B7ch	K—Q1
	3 Q—Q7 mate	

670	1 R—Q8ch!	QxR
	If 1 . . . K—B2; 2 Q—B6 mate.	
	2 QxBch	K—B1
	If 2 . . . K—N2; 3 B—R6 mate.	
	3 B—R6ch	K—K1
	4 B—R5 mate	

671	1 R—B7ch!	KxR
	2 Q—K6ch	K—N2
	If 2 . . . K—B1; 3 R—KB1ch	
	with a quick mate.	
	3 Q—K7ch	K—R3
	4 N—B5 mate	
	(Or 4 N—B3 mate.)	

672	1 QxNch!	RxQ
	2 RxRP mate	

673	1 Q—R3ch	N—R5
	2 QxNch	K—N3
	3 Q—R5 mate	

674	1 RxNch	KxR
	2 Q—R5 mate	

675	1 P—Q4ch!	PxP e.p.
	2 Q/N4—KB4 mate	

676	1 B—B7!!	QxB
	If 1 . . . RxB; 2 Q—N7ch!, RxQ;	
	3 RxP mate.	
	2 RxPch!	QxR
	3 Q—N7ch	KxP
	4 R—R1 mate	

677	1 Q—Q5ch	K—N3
	2 Q—N5 mate	

678	1 RxPch	Q—R2
	2 RxQ mate	

(Or 2 QxQ mate.)

679 1 BxBPch!   any
     2 Q—N7 mate

680 1 B—N8ch   B—B2
    If 1 . . . K—Q2; 2 Q—B5 mate.
     2 BxBch   K—Q2
     3 Q—B5 mate

681 1 Q—Q3ch   K—B4
     2 Q—Q4ch   K—N4
     3 Q—N4 mate

682 1 N—N5ch   K—Q2
     2 N—N8ch   K—K1
     3 N—B7 mate

683 1 Q—K6ch!   NxQ
     2 B—QN5 mate
    Another way is 1 Q—N5ch!,
NxQ; 2 BxN mate.

684 1 Q—Q3ch   K—R4
     2 R—B5ch   BxR
    If 2 . . . K—N3; 3 R—B6 dbl ch
followed by mate.
     3 QxBch   KxP
     4 P—N3ch   . . . .
    Another way is 4 B—N3ch!,
KxB; 5 Q—B2 mate.
     4 . . . .   K—R6
     5 Q—B1 mate

685 1 Q—QR3 mate

686 1 R—Q8ch!   BxR
     2 RxBch   KxR
     3 QxRch   K—Q2
     4 QxPch   K—Q1
     5 B—B7 mate

687 1 Q—K7ch   K—R3
    If 1 . . . K—R1; 2 Q—B8 mate;
or 1 . . . K—N1; 2 Q—KB7ch, K—
R1; 3 Q—B8 mate.
     2 Q—B8ch   KxN
     3 Q—B4 mate

688 1 RxPch!   PxR
     2 B—N6ch!   NxB
     3 QxPch   N—K2
     4 QxN mate

689 1 B—N6 mate

690 1 Q—B7ch   KxP

     2 R—B5ch   K—K5
     3 Q—Q5ch   K—K6
     4 Q—Q3 mate

691 1 Q—K5 mate

692 1 RxNch!   PxR
    This leads to a more glamorous
mate than 1 . . . Q—K2; 2 RxQch,
K—Q1; 3 RxNch, KxR; 4 Q—
Q6ch, K—K1; 5 Q—K7 mate.
     2. Q—N6ch!   PxQ
     3 BxP mate

693 1 N—K4ch   K—K2
     2 Q—B7 mate
    (1 N—N5ch does it too.)

694 1 Q—K5ch   K—Q2
     2 R—B7ch   QxR
     3 Q—K7ch   K—B1
     4 QxQ mate

695 1 R—Q8ch!   QxR
     2 Q—K6ch   K—B4
     3 N—N3ch   K—B5
     4 Q—K4 mate

696 1 Q—B8ch   K—Q2
     2 B—K6ch!   KxB
     3 Q—B5 mate

697 1 Q—QN3 mate

698 1 Q—B7ch   K—K6
     2 Q—N3ch   K—K5
    If 2 . . . K—K7; 3 B—N5 mate.
     3 Q—K5 mate

699 1 RxPch!   RxR
     2 Q—R8 mate

700 1 RxBPch!   KxR
    If 1 . . . K—N1; 2 R—N7ch and
3 QxR mate.
     2 R—Q7ch   any
     3 QxR mate

701 1 B—R6ch!   K—R1
    If 1 . . . KxB; 2 QxKBP mate.
     2 QxKBPch   Q—N2
     3 QxQ mate

702 1 Q—R5ch   B—N4
     2 Q—Q1ch   Q—Q5
     3 Q—N3ch   K—K4
     4 Q—N3ch   K—Q4
     5 Q—Q6 mate

703 1 P—N4ch! PxP
2 B—Q4 mate

704 1 Q—R6ch K—N1
If 1 . . . K—B2; 2 Q—N7 mate.
2 Q—R8ch K—B2
3 Q—N7 mate

705 1 P—B5ch! BxP
2 Q—R5 mate

706 1 QxKPch B—K2
2 QxNPch K—B1
3 B—R6 mate

707 1 Q—K6ch K—B2
2 B—Q6 mate

708 1 P—KR4ch KxP
If 1 . . . K—R3; 2 QxRP mate.
2 Q—N3 mate

709 1 Q—N7 mate

710 1 Q—B5ch K—N1
2 Q—N6ch K—B1
3 B—Q6 mate

711 1 QxNch K—K2
If 1 . . . K—Q2; 2 Q—K8 mate.
2 Q—K8ch K—B3
3 Q—K6ch K—N4
4 R—KN1ch! QxR
5 Q—B5ch K—R3
6 Q—R5 mate

712 1 Q—Q5ch! K—B1
If 1 . . . NxQ; 2 R—K8 mate.
2 Q—Q7ch K—N1
3 Q—Q8ch N—B1
4 QxNch KxQ
5 R—K8 mate

713 1 RxBch! KxR
2 Q—KB7 mate

714 1 R—R7ch! KxR
2 QxPch K moves
3 R—R1ch Q—R5
4 RxQ mate

715 1 Q—N5ch K—B2
2 R—Q7ch . . . .
Forcing mate next move.

716 1 Q—R6ch! NxQ
2 BxNch K—N1
3 P—B7 mate

717 1 B—B6ch RxB
2 P—KN3ch K—R6
3 Q—R5 mate

718 1 P—B5ch K—K3
2 Q—N3 mate

719 1 Q—N6ch! PxQ
2 BxNP mate

720 1 QxBP! PxQ
2 BxP mate

721 1 B—Q3ch! KxN
2 Q—B2 mate

722 1 B—B6 mate

723 1 P—QN4ch! BxP
2 B—N6ch! PxB
3 QxR mate

724 1 N—K6ch K—B1
If 1 . . . K—Q2; 2 NxB dbl ch, K—Q1; 3 Q—Q7 mate.
2 NxB dis ch K—N1
3 N—Q7ch K—B1
4 N—N6 dbl ch K—N1
5 Q—B8ch! RxQ
6 N—Q7 mate

725 1 RxPch! QxR
2 Q—N4 mate

726 1 P—N5ch K—N3
2 QxR/B7 mate

727 1 Q—R3 mate

728 1 Q—B5ch! PxQ
2 R—Q8 mate

729 1 QxNch! BxQ
2 N—B6ch K—K2
3 RxBch K—K3
4 B—N4 mate

730 1 R—K8ch! QxR
2 Q—B7 mate

731 1 N—B6ch K—B1
2 Q—K8 mate

732 1 N—B7ch K—Q1
2 B—N5ch! P—B3
3 N—K6ch K—K1
4 NxPch K—B2
If 4 . . . K—Q1; 5 BxPch and mate next move.

5 B—QB4ch   KxN
6 QxBP mate

733   1 Q—QB4 mate

734   1 B—QB6ch   K—Q1
2 Q—Q7 mate

735   1 N—B6ch!   PxN
2 Q—N3ch   B—N5
3 QxB mate

736   1 B—QB4ch   B—Q4
If 1 . . . N—Q4; 2 Q—K6ch and
3 B—KR6 mate.
2 BxBch   NxB
3 Q—K6ch   K moves
4 B—KR6 mate

737   1 N—K8ch   K—K4
2 Q—N3ch   . . . .
Another way is 2 Q—N7ch (or 2
Q—R8ch), K—K5; 3 Q—Q4 mate.
2 . . . .   K—K5
3 N—B6 mate
(Or 3 Q—B4 mate or R—Q4
mate.)

738   1 Q—K7ch   K—N3
2 QxQPch   K moves
3 Q—QB6 mate

739   1 Q—Q8ch   K—B2
2 N—K5 mate

740   1 N—R5ch!   PxN
2 Q—N5 mate

741   1 RxNPch!   K—R2
If 1 . . . PxR; 2 QxP mate.
2 R—B6 dis ch   K—N1
3 Q—N5ch   K moves
4 R—R6 mate

742   1 Q—K6ch!   KxN
If 1 . . . K—Q1; 2 Q—K8ch,
KxN; 3 R—N7 mate.
2 R—N7ch   K—Q1
3 N—B6ch!   RxN
If 3 . . . NxN; 4 Q—Q7 mate.
4 R—N8ch   K—B2
5 Q—B8 mate

743   1 RxQNPch!   KxR
2 Q—N6 mate

744   1 QxKPch   K—B5
2 N—R3 mate

745   1 R—R6ch!   PxR
2 Q—N4 mate
This is the most elegant method,
but there are others, for example
1 Q—B5ch, K—R5 (or 1 . . . P—
QN4; 2 Q—R3 mate); 2 P—QN3
mate or else 2 R—Q4 mate.

746   1 QxBPch!   KxQ
2 R/R1—R7ch   K—K1
3 BxKNP mate

747   1 QxNch!   PxQ
2 B—KR6ch   Q—N2
3 RxP mate

748   1 B—N5ch!   PxB
2 QxNPch   K—K3
3 N—Q8 mate

749   1 N—N4ch!   PxN
If 1 . . . K—N2; 2 Q—R7 mate;
or 1 . . . K—K2; 2 Q—Q6 mate.
2 B—K5ch!   KxB
3 Q—Q4 mate

750   1 BxPch!   KxB
2 N—N5ch   K—K1
If 2 . . . K—B3; 3 Q—K6 mate.
3 Q—K6!   . . . .
And White forces checkmate.

751   1 Q—B8ch   K—K2
2 R—K6 mate

752   1 QxBch   K—Q5
2 B—K3ch!   KxB
3 Q—B2 mate

753   1 Q—B6 mate

754   1 P—N4ch   K—N3
2 Q—K8ch   K—R3
(Or 2 . . . K—N4.)
3 Q—R5 mate

755   1 R—K7ch   K—B1
2 B—K6 mate

756   1 N—R6ch!   PxN
2 Q—N4 mate

757   1 . . . .   N—B7 mate

758   1 . . . .   Q—Q5ch
2 K—N3   . . . .
If 2 K—K2, Q/N8—Q8 mate.
2 . . . .   Q—N3ch

```
            3 Q—N4      Q/N3xQch        771  1 ....       Q—N7ch!
            4 PxQ       Q—K6ch               2 KxN        Q—N5 mate
            5 K—R4      P—N4ch          (Or 2 . . . R—QB1 mate.)
            6 K—R5      Q—K3            Black has other checkmating
            7 Q—B5ch    Q—N3ch!         methods, for example 1 . . . P—
            8 QxQch     PxQ mate        R5ch!; 2 KxN, R—QB1 mate; or
                                        1 . . . B—R5ch!; 2 K any, Q—N5
759     1 ....      Q—QB7ch             mate.
        2 K—Q4      Q—Q6 mate
    (Or 2 K—B3, Q—N7 mate.)         772  1 ....       QxPch!
                                        2 KxQ        R—B3
760     1 ....      N—N6ch!             3 B—B1       R—R3ch
        2 PxN       Q—K8 mate           4 B—R3       RxBch
                                        5 K—N1       R—R8 mate
761     1 ....      Q—K5ch
        2 K—N3      Q—N5ch          773  1 ....       RxPch!
        3 K—R2      RxP mate        If now 2 RxR, Q—K6ch; 3 K—
                                        B1, Q—K8 mate.
762     1 ....      R—Q8ch!             2 K—N3       Q—K6ch
        2 BxR       B—Q6ch             3 K—R4       Q—B5ch
        3 B—K2      BxB mate       If now 4 P—N4, RxP mate.
    (Or 3 . . . QxB mate.)              4 K—R3       R—K6ch
                                        5 P—N3       RxRPch!
763     1 ....      N—R6 mate           6 KxR        QxPch
                                        7 K—R1       Q—R6ch
764     1 ....      Q—R5ch!             8 K—N1       R—N6ch
        2 KxQ       R—QR3ch             9 K—B2       R—N7ch
        3 QxR       N—B6ch             10 K—K1       Q—K6ch
        4 K—R5      N—N6 mate          11 K—Q1       Q—N8ch
    Black can arrive at the same re-    12 Q—B1      QxQ mate
    sult by transposing his first two
    moves.                          774  1 ....       B—R6ch
                                        2 NxB        Q—B6ch
765     1 ....      R—KB8ch!            3 K—N1       Q—R8 mate
        2 KxR       Q—Q8ch
        3 K—B2      ....            775  1 ....       Q—R4 mate
    If 3 R—K1, Q—B6ch; 4 B—B2,
    R—N8ch; 5 KxR, Q—N7 mate.       776  1 ....       B—K6ch!
        3 ....      Q—KN8ch             2 BxB        ....
        4 K—B3      Q—KR8ch         If 2 K—N1, Q—Q8ch (or . . .
        5 K—B2      R—N7ch          Q—QN4ch) and mate next move.
        6 K—B3      R—N8 dis ch          2 ....       N—B7!
        7 K moves   Q—N7 mate            3 BxN        Q—Q7ch
                                         4 K—N1       Q—Q8ch
766     1 ....      R—B8ch!              5 K—R2       QxBP mate
        2 KxR       R—K8ch!
        3 NxR       QxN mate        777  1 ....       RxNch!
                                        2 QxR        Q—B7 mate
767     1 ....      QxBch!
        2 RxQ       B—KB6 mate      778  1 ....       N—Q5ch!
                                        2 PxN        ....
768     1 ....      B—Q4ch          If 2 K—N2, N—Q6 mate; or 2
        2 P—B3      BxBPch          K—R4, Q—N4 mate.
        3 RxB       Q—N8 mate            2 ....       Q—N4ch
                                         3 B—N4       QxB mate
769     1 ....      NxQ mate
                                   779  1 ....       B—N5ch!
770     1 ....      Q—B8!               2 KxB        Q—R5ch
        2 RxQ       RxR mate
```

3 K—B3 ....
If 3 K—B5, P—KN3 mate.
    3 .... P—KR4!
    4 any Q—N5 mate

780 1 .... N—Q6ch
    2 K—B1 Q—Q8 mate

781 1 .... N—B6 mate

782 1 .... NxKPch
    2 PxN N—B4 mate
Black can also force mate by in-
verting the order of these moves.

783 1 .... B—Q5ch!
If now 2 NxB, Q—B7 mate.
    2 K—N2 Q—K5ch
    3 K—N3 Q—B6 mate
(Or 3 . . . P—R5 mate.)

784 1 .... Q—K7!
    2 RxQ ....
Or 2 RxR, Q—N7 mate; while if
2 Q—Q2, Q—B8ch!; 3 RxQ, RxR
mate.
    2 .... R—B8 mate

785 1 .... RxNch!
    2 KxR R—R8ch!
    3 KxR Q—R5ch
    4 K—N1 Q—R7ch
    5 K—B1 Q—R8ch
    6 K—Q2 QxPch
    7 K—Q3 Q—B7ch
    8 K—Q4 Q—B5ch
    9 K—K5 Q—Q4 mate

786 1 .... P—R5ch!
    2 KxN P—Q3 mate
(Or 2 . . . P—Q4 mate.)

787 1 .... N—B6 mate

788 1 .... RxPch!
    2 RxR P—B5 dis ch
    3 R—N4 Q—N6 mate

789 1 .... Q—Q5 mate

790 1 .... Q—B4ch
    2 K—N3 Q—KB7 mate

791 1 .... N/B3xQPch
    2 PxN NxQPch
    3 K—B3 B—N5ch
    4 KxB N—B3ch
    5 K—B3 Q—N5ch
    6 K—B2 N—Q5 mate

792 1 .... KR—N1ch
If now 2 K—R5 (or 2 K—R6),
Q—R6 mate.
    2 K—R7 B—B3 dis ch
    3 KxR Castles mate

793 1 .... P—B7ch
    2 K—K2 B—N5 mate

794 1 .... B—N5ch
    2 K—K3 ....
If 2 K—Q2, Q—B7ch and mate
next move. While 2 P—B3 allows
2 . . . Q—R7ch and 3 . . . QxQ
mate.
    2 .... PxPch!
    3 KxN Q—B7ch
    4 B—K3 QxB mate

795 1 .... N—K4ch!
    2 PxN P—KR4 mate

796 1 .... N—K4ch
    2 KxP Q—B6ch
    3 K—Q2 N—B5ch
    4 K—B1 Q—K7
Black forces mate next move: if
5 B—B2, Q—B7 mate, while on
other moves he plays 5 . . . QxB
mate.

797 1 .... QxQch!
    2 KxQ B—B7ch
    3 K—B1 R—Q8 mate

798 1 .... R—B6ch!
If now 2 K—R2, Q—R5ch forces
mate.
    2 BxR QxBch
    3 K—R2 Q—R6 mate

799 1 .... N—B6ch
    2 K—K1 Q—Q8 mate

800 1 .... QxNPch!
    2 KxN P—KB4ch
    4 KxP P—Q3 dis ch
    4 K—K4 B—B4ch!
    5 KxB Q—N3 mate

801 1 .... N—B7ch!
    2 QxN QxN mate

802 1 .... R—B7ch
    2 K moves N—K6 mate

803 1 .... R—N7ch
    2 K—Q3 Q—QN8 mate

804	1	Q—KN8ch
	2 K—R3	Q/Q8—
		KB8ch
	3 Q—N2	Q—R8 mate

805	1	B—Q6 mate

806	1	N—R3!
	2 Q—N1	N—B4ch
	3 K—N5	Q—R4 mate

807	1	Q—Q6ch
	2 K—B5	P—N3ch
	3 K—B6	B—Q2 mate

(Or 3 . . . Q—Q2 mate.)

808	1	QxPch
	2 Q—Q3	B—B5 mate

809	1	R—R1ch
	2 K—N7	B—R3 mate

810	1	Q—KR5ch
	2 K—N2	Q—R7 mate

811	1	P—K5 mate

812	1	N—K6ch
	2 K moves	Q—B8ch
	3 K—R2	Q—N7 mate

813	1	B—N8 dis ch

Another way is 1 . . . B—K8 dis ch; 2 K—K3, Q—B7ch; 3 K—Q3, Q—Q7 mate.

	2 K—N3	Q—B7ch
	3 K—R3	Q—R7 mate

814	1	R—N8ch!
	2 BxR	Q—K7 mate

815	1	P—KR3ch
	2 K—B4	P—N4ch
	3 K—K5	Q—K3 mate

816	1	RxPch!

So that if 2 KxR, R—KN1ch; 3 K—R1, Q—B6 mate or 3 K—R3, Q—R3 mate.

	2 K—R1	RxRPch!

If now 3 K—N1, R—KN1ch; 4 KxR, Q—R5 mate or 4 . . . Q—R3 mate.

	3 KxR	Q—R5ch
	4 K—N2	Q—N5ch!
	5 K—R2	Q—R4ch
	6 K—N2	R—KN1 mate

817	1 Q—Q8ch!	KxQ
	2 B—N5 dbl ch	K—K1
	3 R—Q8 mate	

818	1 N—N6ch!	KxB
	2 NxR dbl ch	K—N1
	3 Q—R7 mate	

819	1 N—Q8 dis ch	K—R1
	2 Q—B8ch	N—N1
	3 QxN mate	

(Or 3 N—B7 mate.)

820	1 N—R6 dbl ch	K—R1
	2 Q—N8ch!	RxQ
	3 N—B7 mate	

821	1 RxR dbl ch	KxN
	2 Q—N5 mate	

822	1 Q—R7ch	K—B1
	2 Q—R8ch	K—K2
	3 N—B5ch!	PxN
	4 B—B5 mate	

823	1 B—K8 dbl ch!	KxB
	2 Q—KB7 mate	

824	1 R—K1ch	KxP
	2 P—B3ch	K—Q6
	3 R—Q5 mate	

825	1 R—Q6ch	RxR
	2 N—K6 mate	

826	1 N—R4ch	K—R2
	2 Q—Q3ch	B—KB4
	3 QxBch	K—R1
	4 N—N6ch	K—R2
	5 N—B8 dbl ch	K—R1
	6 Q—R7ch!	NxQ
	7 N—N6 mate	

827	1 Q—R7ch!	KxQ
	2 R—K7 dbl ch	K—R1
	3 R—R7 mate	

828	1 B—N5ch!	KxB
	2 N—Q6 mate	

829	1 RxP dbl ch	KxR
	2 Q—N6 mate	

(Or 1 R—N8 dis ch, R—B4; 2 Q—N6 mate or 2 BxR mate.)

830	1 RxNch!	RxR
	2 Q—K6ch	K—B1
	3 N—Q7 mate	

831
1 Q—K8ch   B—Q1
2 QxPch!   KxQ
If 2 . . . K—N1; 3 QxB mate.
3 B—N4ch   K—N1
4 R—K6ch   K—Q2
5 R—K5 dis ch K—Q3
6 P—B5 mate

832
1 Q—K5ch   K—R1
If 1 . . . K—B1; 2 Q—B7 mate.
2 N—B7ch   K—N1
3 NxR dis ch   K—R1
4 N—B7ch   K—N1
5 N—R6 dbl ch K—R1
6 Q—N8ch!   RxQ
7 N—B7 mate

833
1 N—B5 dbl ch K—K1
2 NxNP mate

834
1 R—K7ch   K—B1
2 R—K8 dbl ch! KxR
3 Q—K7 mate

835
1 N—B6 mate

836
1 Q—N8ch!   KxQ
If 1 . . . RxQ; 2 N—B7 mate.
2 N—K7 dbl ch K moves
3 N—N6ch!   PxN
4 NxP mate

837
1 Q—N6ch!   BxQ
2 N—N5ch!   PxN
3 PxB mate

838
1 QxBch!   KxQ
2 N—B5 dbl ch K—N1
3 N—R6 mate

839
1 N—Q6 dbl ch! K—Q1
2 Q—K8ch!   RxQ
3 N—B7 mate

840
1 QxRPch!   KxQ
2 PxP dbl ch   K—N2
3 R—R7ch   K—B3
4 RxPch   K—N4
5 N—B2   N/K2—B3
If 5 . . . P—Q4; 6 P—QB4ch
leads to mate.
6 P—QB4ch   K—R3
7 R—R1ch   N—R4
8 N—N4 mate
(Or 8 R—QR7 mate.)

841
1 P—R5ch   K—R3
2 NxKP dis ch P—KN4

(Or 2 . . . K—R2; 3 QxNP
mate.)
3 PxP e.p. mate

842
1 Q—K6ch   K—R1
If 1 . . . K—B1; 2 Q—B7 mate.
2 N—B7ch   K—N1
3 N—R6 dbl ch K—R1
4 Q—N8ch!   RxQ
5 N—B7 mate

843
1 Q—K6!!   ....
If now 1 . . . NxQ, or 1 . . .
RxQ; 2 N/R4—N6 dis ch, K—N1;
3 R—R8 mate.
1 ....   BxQ
2 N—B5 dis ch K—N1
3 N—K7 mate

844
1 N—B5 dis ch K—N1
If 1 . . . K—K1; 2 Q—K7 mate.
2 Q—KB8ch!   KxQ
If 2 . . . K—R2; 3 QxNP mate.
3 R—B8ch   Q—Q1
4 RxQ mate

845
1 N/Q5—B6ch! PxN
2 B—R6 dis ch Q—N4
If 2 . . . PxQ; 3 NxP mate.
3 NxP mate

846
1 BxPch   K—R1
2 NxKBPch!   RxN
3 N—N6ch!   KxB
4 N—B8 dbl ch K—N1
5 Q—R7ch!   KxN
6 Q—R8 mate

847
1 N—B6 dbl ch K—B1
2 Q—K8 mate

848
1 Q—N7ch!   RxQ
2 B—N6 dis ch K—N1
If 2 . . . R—R2; 3 RxRch, K—
N1; 4 N—R6 mate.
3 N—R6ch   K—R1
4 NxP dbl ch   K—N1
5 R—R8 mate

849
1 RxBch!   RxR
2 RxRch   NxR
3 NxN dis ch   N—QB4
4 QxNch   K—K1
5 Q—K7 mate

850
1 B—N5 dbl ch K—B2
If 1 . . . K—Q1; 2 R—K8 mate.
2 B—K8 mate

851
1 N—Q7 mate

852 1 Q—N7ch!   BxQ
       2 N—B6 mate

853 1 RxR dbl ch   ....
    Another way is 1 RxB dbl ch,
K—R1; 2 R—N8 mate or 2 RxP
mate.
       1 ....   KxR
       2 Q—B7 mate

854 1 N/N7—K6 dbl ch
                    K—K1
       2 Q—B8ch!   NxQ
       3 N—N7 mate

855 1 Q—Q7ch!   BxQ
       2 N—Q6 dbl ch K—Q1
       3 N—B7ch   K—B1
       4 R—K8ch!   BxR
       5 R—Q8 mate

856 1 N—K5 dis ch K—Q1
       2 N—B7ch   K—K1
       3 N—Q6 dbl ch K—Q1
       4 Q—K8ch!   RxQ
       5 N—B7 mate

857 1 NxQP dis ch! NxQ
    If 1 . . . N—K3; 2 N—B6 mate.
Or 1 . . . Q—K2; 2 QxQ mate.
       2 N—B6 mate

858 1 QxPch!   KxQ
       2 PxB dis ch   K—N3
       3 N—K7 mate

859 1 B—N5 mate

860 1 N—B7ch   K—R2
       2 QxRPch!   PxQ
       3 N—N5 dbl ch K—R1
       4 R—R7 mate

861 1 N—K7 dbl ch K—R1
       2 N—N6ch!   PxN
       3 RPxN dis ch Q—R5
       4 RxQ mate

862 1 Q—B6ch   K—N1
       2 Q—N7ch!   RxQ
       3 N—B6ch   K—R1
       4 PxR dbl ch   KxP
       5 R—R7 mate

863 1 N—B7ch!   K—B1
    Or 1 . . . NxN; 2 Q—Q8ch!,
KxQ; 3 B—N5 dbl ch, K—K1; 4
R—Q8 mate.
       2 Q—Q8 mate

864 1 RxPch!   BPxR
   If 1 . . . RPxR; 2 Q—R8 mate.
       2 N—K7 mate

865 1 B—N7 dbl ch! KxB
       2 Q—R6ch!!   KxQ
       3 N—B5 mate

866 1 Q—R7ch!   KxQ
       2 B—B7 mate

867 1 Q—Q8ch!   KxQ
       2 B—KN5 dbl ch K—K1
       3 R—Q8 mate

868 1 R—N3ch!   PxR
       2 BxRPch!   KxB
       3 RPxP dis ch K—N1
       4 R—R8 mate
  (Or 4 Q—R8 mate.)

869 1 QxRPch!   KxQ
       2 PxP dbl ch   KxP
       3 R—R6 mate

870 1 N—K5 dbl ch K—K2
    If 1 . . . K—K3; 2 Q—B7ch, K—
B4; 3 P—KN4 mate.
       2 Q—B7ch   K—Q3
       3 N—B4 mate

871 1 Q—Q8ch!   KxQ
       2 B—R5 dbl ch K moves
       3 R—Q8 mate

872 1 QxNPch!   NxQ
       2 RxNch   K—R1
       3 R—N8 dbl ch! KxR
       4 R—KN1ch   Q—N4
       5 RxQ mate

873 1 N—Q7ch   K—B1
       2 N—N6 dbl ch K—N1
       3 Q—B8ch!   RxQ
       4 N—Q7 mate

874 1 N—N6ch   K—R2
       2 N—B8 dbl ch K—R1
       3 Q—R7ch!   NxQ
       4 N—N6 mate

875 1 Q—K8ch!   RxQ
       2 RxRch   BxR
       3 P—B7 dis ch RxB
    If 3 . . . B—B3; 4 BxB mate or
4 P—B8/Q mate.
       4 P—B8/Q mate

876
1 P—B6 dis ch!   PxQ
2 B—K6ch   K—K1
3 P—B7 mate

877
1 N—N5ch   K moves
2 N—B7ch   K—R2
3 Q—R6ch!   BxQ
4 N—N5 dbl ch   K—R1
5 R—R7 mate

878
1 B—B7ch!   KxB
2 N—K5 dbl ch   K—K3
3 Q—B7ch   K—Q3
4 N—B4ch   K—B4
5 Q—Q5ch   K—N5
6 P—R3ch   K—R5
7 P—N3 mate

879
1 Q—Q7ch!   BxQ
2 N—Q6 dbl ch   K—Q1
3 N—B7ch   K—B1
4 R—K8ch!   BxR
5 R—Q8 mate

880
1 B—N6ch!   PxB
2 N/Q6xPB dbl ch
           K—B2
If 2 . . . K—K1; 3 Q—Q8 mate.
3 Q—Q6 mate

881
1 Q—Q8ch!   KxQ
2 B—KN5 dbl ch   K—B2
If 2 . . . K—K1; 3 R—Q8 mate.
3 B—Q8 mate

882
1 R—K8ch   B—Q1
If 1 . . . R—Q1; 2 N—B7ch and
White checkmates as in the main
line.
2 RxBch   RxR
3 N—B7ch   K—N1
4 N—R6 dbl ch   K—R1
5 Q—N8ch!   RxN
6 N—B7 mate

883
1 . . . .   B—R7ch
2 K—R1   B—N6 dis ch
3 K—N1   R—R8ch!
4 KxR   Q—R5ch
5 K—N1   Q—R7 mate

884
1 . . . .   N—B6ch
2 K—B1   Q—N4ch
3 K—N1   N—Q7ch
4 K—B1   N—N6 dis ch
5 K—N1   Q—B8ch!
6 RxQ   N—Q7 mate

885
1 . . . .   B—B6 dbl ch!
If now 2 K—R3, Q—N5 mate.
2 KxB   Q—N5 mate

886
1 . . . .   N—B7 dbl ch
2 K—N1   NxP mate

887
1 . . . .   B—N5 mate

888
1 . . . .   QxNch
2 QxQ   RxQch
3 K—N2   R—N6 dbl ch
4 K—R2   R—N7 dbl ch
If now 5 K—R3, R—R7 mate.
5 K—R1   R—R7 dbl ch
6 K—N1   R—R8 mate

889
1 . . . .   N—B6 mate

890
1 . . . .   Q—R7ch!
2 KxQ   B—B7 dis ch
3 B—R6   RxB mate

891
1 . . . .   N—K5 dbl ch
2 K—K3   Q—B7ch
3 K—B4   . . . .
If 3 K—Q3, N—B4 mate.
3 . . . .   P—KN4 mate

892
1 . . . .   N—B7ch
2 K—N1   N—R6 dbl ch
3 K—R1   Q—N8ch!
4 NxQ   N—B7 mate

893
1 . . . .   Q—R6ch!
2 KxQ   N—K6 dis ch
3 K—R2   R—R1 mate

894
1 . . . .   QxRPch!
2 KxQ   PxP dbl ch
3 K—N1   R—R8 mate

895
1 . . . .   B—Q6 dbl ch
2 K—K1   R—B8 mate

896
1 . . . .   QxPch!
2 KxQ   R—R4 dbl ch
3 K—N1   B—R7ch
4 K—R1   N—N6 mate

897
1 . . . .   Q—K8ch!
2 KxQ   B—B6 dbl ch
3 K—B1   R—K8 mate

898
1 . . . .   N—Q6 mate

899
1 . . . .   Q—N7ch!
2 KxQ   N—B5 dbl ch
3 K—N1   N—R6 mate

900	1	R—B8ch!
	2 BxR	Q—R2ch
	3 Q—N6	QxQch
	4 R—Q4	QxRch
	5 B—K3	QxBch
	6 K—R1	N—B7ch
	7 K—N1	N—R6 dbl ch
	8 K moves	Q mates

901	1	Q—B7ch!
	2 KxQ	R—Q8 dis ch
	3 B—K3	BxB mate

902	1	N—R5 dis ch
	2 K—K1	....

If 2 K—N1, Q—KN5 mate.

	2	NxN mate

903	1	QxQBPch!
	2 KxQ	R—QB5 mate

904	1	Q—R8ch!
	2 KxQ	RxN dbl ch
	3 K—N1	R—R8 mate

905	1	R—R8ch!
	2 RxR	Q—N4ch
	3 N—K3	QxNch
	4 K—N1	N—Q7ch
	5 K—B1	....

If 5 K—R2, R—R1ch forces mate.

	5	N—N6 dbl ch
	6 K—N1	Q—B8ch!
	7 RxQ	N—Q7ch
	8 K—R2	R—R1ch

Followed by . . . RxQ mate.

906	1	Q—R8ch!
	2 KxQ	N—N6 dbl ch
	3 K—N1	R—R8 mate

907	1 P—B8/N mate

908	1 P—R7ch	K—B1
	2 P—R8/Q mate	

909	1 P—R8/Qch!	RxQ
	2 N—B5ch	K—N1
	3 RxRch	KxR
	4 Q—R6ch	any
	5 Q—N7 mate	

910	1 Q—KR8ch!	KxQ
	2 P—N7ch	K—N1
	3 B—R7ch!	K moves
	4 P—N8/Q mate	

911	1 R—B8ch	RxR

If 1 . . . K—N2; 2 Q—B7 mate.

	2 B—B4ch	K—N2
	3 P—K8/Nch!	RxN
	4 Q—B7 mate	

912	1 QxNch!	KxQ
	2 RxNch!	BxR
	3 B—B5ch	K—Q1
	4 P—K7ch	K—B1
	5 PxR/Qch	B—K1
	6 QxB mate	

913	1 P—N8/N mate

914	1 RxPch!	BxR

If 1 . . . QxR; 2 Q—N4 mate.

	2 Q—K7 mate	

915	1 Q—N8ch!	NxQ
	2 PxN/Q dbl ch	KxQ
	3 N—K7 dbl ch	K—N2
	4 R—B7ch	K—R3

If 4 . . . K—R1; 5 R—B8ch, K—N2; 6 R—N8ch, K—R3; 7 R—N6 mate.

	5 R—B6ch	K—N2
	6 R—N6ch	K—B1
	7 R—N8 mate	

916	1 N—Q6 mate

917	1 QxPch!	PxQ
	2 P—N7ch	K—R2
	3 PxR/Nch	K—R1
	4 R—N8 mate	

918	1 Q—B1ch	P—N4

If 1 . . . K—R4; 2 P—QN4ch, K—R5; 3 B—N3 mate.

	2 P—QR4	P—B3

If 2 . . . R—N1; 3 PxP mate.

	3 QxPch!	PxQ
	4 PxP dbl ch	KxP
	5 P—B4 mate	

919	1 PxPch	any
	2 RxR mate	

920	1 Q—R6	Q—B1
	2 QxRPch!	KxQ
	3 R—R1ch	Q—R3
	4 RxQch	KxR
	5 R—R1 mate	

921	1 N—B7ch	K—B1
	2 R—Q8ch!	NxR
	3 Q—K8 mate	

922 1 P—Q8/Qch ....
White can also mate beginning with 1 P—Q8/Rch or 1 Q—QB6ch.
1 .... K—N2
2 Q/Q8—QN8 mate

923 1 Q—B8ch! RxQ
2 N—Q7 mate

924 1 N—B7ch K—N1
2 N—Q8 dis ch K—R1
3 P—K8/Qch B—B1
4 QxB mate

925 1 .... R—Q8ch!
2 BxR PxB/Q mate
Black can also promote to a Rook to force checkmate.

926 1 .... P—B8/N mate

927 1 .... R—R8ch!
2 NxR RxN mate

928 1 .... B—K5 dis ch
2 N—N2 RxNch
3 K—R1 R—N8 dbl ch!
4 KxR R—N1ch
5 B—N4 RxB mate

929 1 .... QxN!
2 BxN ....
If 2 PxQ, BxP mate.
2 .... QxRPch!
3 KxQ RPxB dis ch
4 K—N1 R—R8 mate

930 1 .... N—K7ch
2 K—R1 K—K2!
If now 3 P—R3, RxP mate.
3 B—KR6 RxB
4 any ....
(Aside from a move of White's King Rook Pawn, which allows the immediate 4 . . . RxP mate.)
4 .... RxPch!
5 KxR R—R1 mate

931 (by W. May)
key: 1 P—B8/N threatening 2 N—K8 mate.
If 1...PxN; 2 Q—KB4 mate.
If 1...B—B2; 2 N—K4 mate.
If 1...B—N3; 2 N—N5 mate.
If 1...P—K3; 2 PxP mate.
If 1...P—K4; 2 PxP e.p. mate.
If 1...Q—N4; 2 NxQ mate.

932 (by H. Ahues)
key: 1 N—B5 threatening 2 Q—B4 mate
If 1...P—N4; 2 N—Q7 mate.
If 1...R—B3; 2 N—Q3 mate.

933 (by B. Ghirelli)
key: 1 BxP/N4 threatening 2 Q—K5 mate
If 1...N—B4; 2 R—Q4 mate.
If 1...N—B3; 2 QxN mate.
If 1...NxR; 2 QxN mate.
If 1...B—B3; 2 NxP/K3 mate.
If 1...B—B5; 2 NxP/K7 mate.
If 1...R—B4; 2 NxNP mate.

934 (by E. Bachl)
key: 1 N—B8 threatening 2 N—N6 mate
If 1...B—QN4; 2 Q—N8 mate.
If 1...R—N4; 2 Q—K3 mate.
If 1 . . . N/N6—B4; 2 Q—K4 mate.
If 1 . . . N/Q5—B4 or 1 . . . N—N4; 2 N—K6 mate.
If 1...P—B4; 2 Q—K5 mate.

935 (by P. Moutecidis)
key: 1 N—Q3 threatening 2 Q—B4 mate
If 1...KxP; 2 P—K3 mate.
If 1...K—Q7; 2 P—K4 mate.
If 1...RxN; 2 KPxR mate.
If 1...B—K5; 2 B—B1 mate.

936 (by J. Buchwald)
key: 1 R—R2
If 1...QxNch; 2 PxQ mate.
If 1...Q—R3; 2 QxQ mate.
If 1...Q—R2; 2 N—B7 mate.
If 1...Q—N3; 2 NxQ mate.
If 1...Q—B2; 2 NxQ mate.
If 1...Q—Q1; 2 Q—QR6 mate.
If 1...RxN; 2 QxR mate.

937 (by K. Link)
key: 1 Q—N4 threatening 2 Q—K1 mate
If 1...Q—B5; 2 QxQ mate.
If 1...Q—Q5; 2 QxQ mate.
If 1...QxN; 2 QxQ mate.
If 1...Q—R8; 2 Q—KB4 mate.
If 1...P—K8/Q; 2 QxQ mate.

938 (by W. May)
key: 1 R—KN4 threatening 2 RxN mate
If 1...N—B5; 2 QxP mate.

If 1...N—K8; 2 R—B2 mate.
If 1...NxP; 2 N—B3 mate.
If 1...R—N3; 2 QxQP mate.

939 (by F. Haendle)
key: 1 Q—B5 threatening 2 Q—B7 mate
If 1...BxQ; 2 R—B8 mate.
If 1...QxBch; 2 QxQ mate.
If 1...Q—B3ch; 2 BxQ mate.
If 1...B—B3; 2 BxQ mate.
If 1...N—K4; 2 N—N7 mate.
If 1...R—B1; 2 QxR mate.
If 1...R—R2; 2 Q—B8 mate.

940 (by F. Schulz)
key: 1 Q—K6 threatening 2 RxN mate
If 1...BxQ; 2 NxB mate.
If 1...N—B5; 2 RxN mate.
If 1...N—K2 or 1...N—N5; 2 R—B4 mate.
If 1...N/Q2—B3; 2 Q—K5 mate.
If 1...N/Q4—B3; 2 Q—K3 mate.
If 1...P—B3; 2 Q—K4 mate.

941 (by W. May)
key: 1 R—QB8 threatening 2 B—Q5 mate
If 1...N/B2 moves; 2 B—Q5 mate.
If 1...N—N3; 2 BxP mate.
If 1...B—N4; 2 N—N2 mate.
If 1...PxP; 2 QxP mate.
If 1...P—N5; 2 PxNP mate.

942 (by L. Kaul)
key: 1 N—K6
If 1...KxN; 2 B—QN3 mate.
If 1...K—B3; 2 B—B3 mate.
If 1...K—B5; 2 Q—N3 mate.
If 1...K—K5; 2 Q—Q4 mate.

943 (by C. Groeneveld)
key: 1 Q—B3 threatening 2 Q—QR3 mate
If 1...B—B8; 2 Q—B8 mate.
If 1...P—B6; 2 QxBP mate.
If 1...P—Q5 or 1...N—B3; 2 B—Q6 mate.
If 1...N—N4; 2 B—N6 mate.

944 (by F. Schulz)
key: 1 R—N5
If 1...P—Q3; 2 N—B7 mate.
If 1...P—Q4; 2 N—B5 mate.

If 1...NP moves; 2 QxBP mate.
If 1...BP moves; 2 Q—N8 mate.
If 1...B moves; 2 RxP mate.
If 1...P—K5; 2 NxB mate.

945 (by W. Becker)
key: 1 N—K2 threatening 2 Q—Q4 mate
If 1...NxQ; 2 R—K5 mate.
If 1...N—K4; 2 RxN mate or 2 QxN mate.
If 1...B—R4; 2 Q—R8 mate.
If 1...B—K8; 2 Q—R1 mate.
If 1...BxR; 2 N—B3 mate.
If 1...B—Q7; 2 BxN mate.
If 1...B—B6; 2 NxB mate.

946 (by W. May)
key: 1 B—N1 threatening 2 R—K3 mate
If 1...PxR; 2 BxP mate.
If 1...P—Q6; 2 RxB mate.
If 1...R—K8; 2 Q—R2 mate.
If 1...N—Q6; 2 Q—K2 mate.
If 1...B—Q4; 2 N—Q7 mate.

947 (by J. Kiss)
key: 1 NxPch
If 1...K—K3 dis ch; 2 N—B6 mate.
If 1...K—N1 dis ch; 2 N—B4 mate.

948 (by H. Faust)
key: 1 Q—R2
If 1...P—N5; 2 PxP mate.
If 1...P—B4; 2 Q—R8 mate.
If 1...P—K3 or 1...P—Q4; 2 N—B7 mate.
If 1...P—B5; 2 BxP mate.
If 1...P—Q6; 2 Q—QN2 mate.
If 1...P—K7; 2 QxP mate.
If 1...PxP; 2 QxP mate.
If 1...P—B6; 2 P—N4 mate.

949 (by H. Trueck)
key: 1 N—QB6 threatening 2 QxN mate
If 1...PxN; 2 QxP/B6 mate.
If 1...N—Q5; 2 N—K5 mate.
If 1...N moves elsewhere; 2 Q—N3 mate.
If 1...R—R4; 2 NxR mate.
If 1...R—Q4; 2 R—N4 mate.

950 (by K. Hasenzahl)
key: 1 Q—QN7 threatening 2 P—B7 mate

If 1...PxB; 2 N—K3 mate.
If 1...PxP; 2 N—B7 mate.
If 1...R—QN8; 2 RxN mate.

951 (by B. Ghirelli)
key: 1 B—K4 threatening 2 B—K5 mate
If 1...N—B5; 2 R—Q3 mate.
If 1...R—N8; 2 NxNP mate.
If 1...NxR or 1...N—N3; 2 NxBP mate.

952 (by G. Jensch)
key: 1 Q—R8
If 1...B moves; 2 B—N3 mate.
If 1...N—N5 or 1...K—Q4; 2 N—R5 mate.
If 1...N—N1 or 1...N/R3—B2; 2 Q—R2 mate.
If 1...N—Q5; 2 N—K5 mate.
If 1...N/N4 moves elsewhere; 2 B—N3 mate.
If 1...BP moves; 2 Q—KN8 mate.

953 (by T. Kardos)
key: 1 N—K4
If 1...PxN; 2 N—B4 mate.
If 1...KxN; 2 Q—B4 mate.
If 1...N moves; 2 N—QB6 mate.
If 1...BxP or 1...B—B7; 2 NxB mate.
If 1...B—N8; 2 N—B2 mate.

954 (by E. Palkoska)
key: 1 Q—Q1
If 1...KxR; 2 Q—B2 mate.
If 1...NxR; 2 Q—Q7 mate.
If 1...N/Q7 moves elsewhere; 2 QxN/B3 mate.
If 1...N—K4; 2 RxN mate.
If 1...N/B6 moves elsewhere; 2 R—K5 mate.

955 (by M. Schneider)
key: 1 B—N7 threatening 2 P—B4 mate
If 1...P—B5ch; 2 PxP mate.
If 1...N—Q3; 2 N—K7 mate.
If 1...P—QN4; 2 P—R8/Q mate or 2 P—R8/B mate.

956 (by O. Stocchi)
key: 1 BxP threatening 2 Q—K5 mate
If 1...PxB; 2 N—Q6 mate.
If 1...BxB; 2 P—N7 mate.
If 1...N/N1xB; 2 NxP mate.
If 1...N/R4xB; 2 N—N3 mate.

957 (by H. Ahues)
key: 1 B—K8! threatening 2 N—R8 mate
If 1...BxN; 2 QxB mate.
If 1...B—Q2; 2 N—B5 mate.
If 1...B—K3; 2 N—Q6 mate.
If 1...Q—Q3; 2 BxQ mate.

958 (by J. Buchwald)
key: 1 NPxP threatening 2 Q—K6 mate
If 1...BPxP; 2 B—Q6 mate.
If 1...NxP; 2 N—Q7 mate.
If 1...RxP; 2 R—K8 mate.
If 1...P—KB4; 2 Q—QB3 mate.
If 1...N—B4; 2 N—N4 mate.
If 1...B—B4; 2 Q—KN3 mate.

959 (by E. Bachl)
key: 1 Q—N5 threatening 2 Q—N1 mate
If 1...R/K5xP; 2 N—B4 mate.
If 1...R/B2xP; 2 N—B5 mate.

960 (by W. Kandler)
key: 1 R—K5 threatening 2 R—Q5 mate
If 1...KxR; 2 Q—B4 mate.
If 1...QxR; 2 N—K6 mate.
If 1...Q—N2ch; 2 R—Q5 mate.
If 1...NxB; 2 N—B6 mate.

961 (by H. Luecke)
key: 1 Q—QB4 threatening 2 Q—K6 mate
If 1...BxQ; 2 R—KB2 mate.
If 1...RxQ; 2 R—R6 mate.

962 (by C. Mink)
key: 1 Q—N6! threatening 2 Q—N3 mate
If 1...NxP; 2 R/K2—Q2 mate.
If 1...RxP; 2 B—B4 mate.

963 (by L. Tuhan-Baranovsky)
key: 1 Q—Q6 threatening 2 N—B2 mate
If 1...QxN or 1...R—K3; 2 N—B5 mate.
If 1...RxN; 2 QxR mate.
If 1...R—K4; 2 QxR mate.
If 1...R—K2 or 1...R—K1; 2 Q—R6 mate.
If 1...R—B5; 2 Q—R3 mate.
If 1...R—N5; 2 RxBP mate.

964 (by F. Blaschke)
key: 1 R—R7
If 1...P—N3; 2 R—R7 mate.
If 1...P—N4; 2 Q—R1 mate.
If 1...B—K2 or 1...B—B3
or 1...B—N4; 2 Q—QR5 mate.
If 1...B—R5ch; 2 RxB mate.
If 1...B—B2; 2 R—R4 mate.
If 1...B—N3; 2 Q—K8 mate.
If 1...B—R4; 2 QxB mate.
If 1...N moves; 2 Q—QR5
mate.

965 (by H. Hermanson)
key: 1 P—B3 threatening 2 Qx
N/B4 mate
If 1...RxQ; 2 NxR mate.
If 1...NxN; 2 RxN mate.
If 1...N/B5—K6; 2 Q—B5
mate.
If 1...NxP; 2 RxN mate.
If 1...N/B5 moves elsewhere;
2 N/K5xR mate.
If 1...N/B7—K6; 2 Q—Q4
mate.

966 (by M. Schneider)
key: 1 N—Q4 threatening 2 R—
K7 mate
If 1...B—B4; 2 N—KB3 mate
or 2 N—B6 mate.
If 1...N—B4; 2 N—QB6 mate.

967 (by A. Kopnin)
key: 1 N—N6 threatening 2 Q—
B6 mate
If 1...PxN; 2 Q—K6 mate.
If 1...N—K4; 2 QxN mate.
If 1...N/Q6 moves elsewhere;
2 Q—B6 mate or 2 Q—K5 mate.
If 1...N—K5; 2 N—K7 mate.
If 1...N/B6 moves elsewhere;
2 RxN mate.
If 1...R moves; 2 RxN mate.

968 (by W. Hebelt)
key: 1 N—B3 threatening 2 Q—
N5 mate.
If 1...RxN; 2 PxP mate.
If 1...QxN; 2 Q—B5 mate.
If 1...PxN; 2 R—K5 mate.
If 1...R—R2; 2 N—Q6 mate.
If 1...N—B3; 2 QxN mate.

969 (by K. Goodare)
key: 1 B—Q4 threatening 2 B—
K5 mate
If 1...RxB; 2 Q—R2 mate.

If 1...QxN; 2 R—QB8 mate.
If 1...QxP; 2 NxP mate.

970 (by L. Zagorouiko)
key: 1 N—K2 threatening 2 Q—
Q4 mate
If 1...R—QB5; 2 Q—Q2 mate.
If 1...R—KB5; 2 NxR mate.
If 1...N—B6; 2 N—B4 mate.
If 1...N—B7; 2 N—B3 mate.

971 (by F. Haendle)
key: 1 B—K4 threatening 2 N—
B2 mate
If 1...BxB; 2 RxB mate.
If 1...BPxN/Q; 2 Q—B4 mate.
If 1...QPxN; 2 R—Q3 mate.
If 1...P—Q6; 2 B—QB5 mate.

972 (by A. Rogoschevsky)
key: 1 Q—KN5
If 1...K—Q3; 2 Q—K7 mate.
If 1...P—B3; 2 Q—Q5 mate.
If 1...P—B4; 2 Q—K7 mate.

973 (by R. Burger)
key: 1 N—B6 threatening 2 R—
K8 mate
If 1...N—B4; 2 NxP mate.
If 1...B—N5; 2 N—B4 mate.
If 1...Q—B4; 2 QxB mate.

974 (by F. Fleck)
key: 1 Q—B2 threatening 2 N—
N4 mate
If 1...K—B5; 2 N—Q5 mate.
If 1...K—B3; 2 N—Q5 mate.
If 1...K—Q5; 2 N—B5 mate.
If 1...B—K7 or 1...B—K5;
2 N—N4 mate.

975 (by M. Niemeijer)
key: 1 B—R3
If 1...P—Q8/Q or 1...P—
Q8/R or 1...P—Q8/B; 2 R—B4
mate.
If 1...P—Q8/N; 2 R—K2 mate.
If 1...K—Q8; 2 B—N3 mate.

976 (by F. Fleck and R. Darvas)
key: 1 R—QB3 threatening 2 R—
B5 mate
If 1...N moves; 2 R—B5 mate.
If 1...Q—N6; 2 BxQ mate.

977   (by A. Mari)
key: 1 N—K4 threatening 2 N—B3 mate
If 1 . . . P—N3 dis ch; 2 N/K4—B6 mate.
If 1 . . . P—N4 dis ch or 1 . . . R—R6; 2 Q—K5 mate.
If 1 . . . K—K3; 2 QxQP mate.

978   (by W. Issler)
key: 1 N—B3 threatening 2 Q—Q5 mate
If 1 . . . K—B4; 2 B—R7 mate.
If 1 . . . K—Q6; 2 R—Q2 mate.
If 1 . . . P—K5; 2 N—K2 mate.
If 1 . . . Q—K5; 2 NxP mate.

979   (by C. Mink)
key: 1 B—N7 threatening 2 N—B4 mate
If 1 . . . QxB; 2 R—Q4 mate.
If 1 . . . P—N4; 2 Q—B5 mate.
If 1 . . . NxN; 2 BxQ mate.
If 1 . . . B—B2; 2 NxN mate.

980   (by P. Moutecidis)
key: 1 KxP
If 1 . . . P—N3; 2 N—B6 mate.
If 1 . . . P—B3; 2 N—K6 mate.
If 1 . . . R—QR6; 2 PxR mate.
If 1 . . . RxNPch; 2 QxR mate.
If 1 . . . R—N5; 2 P—N3 mate.
If 1 . . . R/N6xR; 2 P—N4 mate.
If 1 . . R—B6; 2 PxR mate.
If 1 . . . R—N6; 2 PxR mate.
If 1 . . . R—KR6; 2 P—B3 mate.
If 1 . . . RxBPch; 2 BxR mate.
If 1 . . . R—B5; 2 P—B3 mate.
If 1 . . . R/B6xR; 2 P—B4 mate.

981   (by N. Kapralos)
key: 1 B—R7 threatening 2 R—B5 mate
If 1 . . . N/Q3—K5 or 1 . . . N—N2; 2 N—K3 mate.
If 1 . . . N/N4—K5; 2 N—N6 mate.
If 1 . . . BxNch; 2 QxB mate.
If 1 . . . N—N4; 2 R—R4 mate.

982   (by J. Kupper)
key: 1 Q—R5 threatening 2 Q—N4 mate
If 1 . . . B/N5 moves; 2 N—K2 mate.
If 1 . . . B—Q4; or 1 . . . BxP; 2 Q—Q1 mate.
If 1 . . . B—Q6; 2 P—QB3 mate.

If 1 . . . P—N5; 2 R—B4 mate.
If 1 . . . B—K7; 2 NxB mate.

983   (by B. Sommer)
key: 1 Q—R3 threatening 2 Q—B1 mate
If 1 . . . RxQ; 2 NxP mate.
If 1 . . . N—K6 or 1 . . . N—B6; 2 Q—B8 mate.

984   (by H. Grasemann)
key: 1 N—Q3 threatening 2 Q—K5 mate
If 1 . . . B—Q3; 2 Q—N3 mate.
If 1 . . . N—Q3; 2 N—B3 mate.

985   (by P. Serwene)
key: 1 R—Q4ch
If 1 . . . BxR; 2 N—B4 mate.
If 1 . . . RxR; 2 N—B3 mate.

986   (by G. Wensch)
key: 1 B—K4 threatening 2 Q—Q3 mate
If 1 . . . BxB; 2 N—N4 mate.
If 1 . . . RxB; 2 N—Q5 mate.

987   (by H. Pflieger)
key: 1 B—Q5 threatening 2 Q—QB4 mate
If 1 . . . BxB; 2 N—Q7 mate.
If 1 . . . RxB; 2 N—K4 mate.

988   (by J. Morra)
key: 1 R—N8 threatening 2 R—B7 mate
If 1 . . . B—K4 or 1 . . . R—KB5; 2 NxP mate.
If 1 . . . P—K4; 2 N—K7 mate.
If 1 . . . R/Q4—K4; 2 Q—B3 mate or N—Q4 mate.
If 1 . . . R/K5—K4; 2 Q—B3 mate.

989   (by R. Schaefer)
key: 1 B—B6 threatening 2 K—Q7 mate
If 1 . . . RxB; 2 Q—R5 mate.
If 1 . . . BxB; 2 K—K6 mate.

990   (by E. Bachl)
key: 1 N—Q5 threatening 2 R/K1—Q1 mate
If 1 . . . RxN; 2 R—K4 mate.
If 1 . . . BxN; 2 P—K6 mate.

991 (by A. Bender)
key: 1 N—K4 threatening 2 R—N4 mate
If 1 . . . PxN or 1 . . . BxN; 2 P—K3 mate.
If 1...KxN; 2 R—N4 mate.

992 (by K. Link)
key: 1 P—Q4 threatening 2 R—B5 mate
If 1...RxP; 2 N—B3 mate.
If 1...BxP; 2 N—B4 mate.

993 (by C. Mink)
key: 1 B—Q4 threatening 2 N—B3 mate or 2 N—Q2 mate
If 1...RxB; 2 N—B3 mate.
If 1 . . . BxB or 1 . . . PxB; 2 N—Q2 mate.
If 1...KxB; 2 Q—B4 mate.

994 (by H. Luecke)
key: 1 B—QB4 threatening 2 N—R6 mate
If 1...BxB; 2 Q—R3 mate.
If 1...RxB; 2 Q—R5 mate.

995 (by H. Hermanson)
key: 1 N—N3 threatening 2 N—Q6 mate
If 1...N—Q6; 2 RxP mate.
If 1 . . . N moves elsewhere; 2 RxBP mate.

996 (by H. Rieper)
key: 1 P—K4 threatening 2 Q—B5 mate
If 1...RxP; 2 N—B3 mate.
If 1...BxP; 2 N—B4 mate.

997 (by S. Bikos)
key: 1 Q—B6 threatening 2 Qx RP mate
If 1...N—K5; 2 QxBP mate.
If 1...N—B5; 2 N—K2 mate.
If 1 . . . N—N4; 2 N—K2 mate or 2 N—Q5 mate.
If 1 . . . N/Q3 moves elsewhere; 2 N—Q5 mate.
If 1...R—K5; 2 QxBP mate.

998 (by F. Schulz)
key: 1 P—K4 threatening 2 R—B5 mate
If 1...RxP; 2 N—B3 mate.
If 1...BxP; 2 N—B4 mate.

999 (by W. Becker)
key: 1 B—K4 threatening 2 Q—B5 mate
If 1...BxB; 2 B—Q4 mate.
If 1...RxB; 2 R—R5 mate.

1000 (by J. Kupper)
key: 1 N—B7
If 1...KxN; 2 P—K8/N mate.
If 1 . . . KxR; 2 BxN mate or 2 PxR/N mate.
If 1 . . . BxN or 1 . . . RxN; 2 R—Q8 mate.
If 1...N moves; 2 N—Q6 mate.

1001 (by F. Hyna)
key: 1 P—Q4 threatening 2 QxP mate
If 1...PxP; 2 QxP mate.
If 1...B—Q4; 2 Q—QB1 mate.
If 1...N—N2; 3 BxN mate.
If 1...B—K4; 2 QxB/N8 mate.